英語
ミーティングの基本スキル
グレートファシリテーターへの道

フィリップ・ディーン＋
岩城 雅＝著

朝日出版社

The Great
Facilitator

The Great Facilitator
A Practical Guide to Facilitating and Participating
in Business Meetings Conducted in English
By Philip Deane and Tadashi Iwaki

Copyright© May 2006 Philip Deane and Tadashi Iwaki
All rights reserved. No part of this publication may be reproduced, stored in a retrieval system, or transmitted in any form or by any means, electronic, mechanical, photocopying, recording or otherwise, without the prior permission of the copyright owners.
Produced by Globalinx Corp.

本書の一部または全部を著作権法の定める範囲を超え、著作者に無断で複写、複製、転載、テープ化、ファイル化することは禁じられております。

はじめに

　今、経済・社会・文化とあらゆる方面でグローバル化が進む中、ビジネス・日常生活での大小を問わず、ミーティングは様々な形で行われるようになってきました。

　こうした状況の中にあって、外国人とのミーティングの場で、日本人は依然として、あまり発言をせず、目を閉じたままで聞いているのかいないのか分からず、賛否に対してもあいまいな返答しかしない、といったイメージがあるようです。

　これでは、欧米人のような、ミーティングとは意見を戦わせ、合意を引き出す場である、という明確な意思を持ち、十分な準備と理論武装をしてくる人たちには太刀打ちできません。
　ミーティングとは、ある目的（お互いの利益）を達成・実現するための協同作業プロセスです。したがって、感情的な話し合いや場当たり的な受け答えだけでは、その目的を達成することは極めて困難であるといえるでしょう。

　本書は、長年にわたる日本および外資系の大手企業における「国際ビジネス・ミーティング・スキル研修」の実績と経験からつくり出されました。日本人ビジネスピープルが外国人とのミーティングの場で犯しやすい間違いや、欧米人とのミーティング観の違いなどを見据えながら、こうした理論武装をした人たちと生産的で成果が見えるミーティングを行うための、適切な準備と計画の仕方、効果的なコミュニケーションの心構えとテクニックなどに焦点を当てた実践の書となっています。
　また、様々な状況における数多くの事例が盛り込まれており、ご自身の状況に合わせ、それらの事例から多くを学んでいただけるものと確信しております。

　本書を通して、効果的かつ生産的なミーティングの準備とやり方を学び、実践の場で生かされることを切に願っております。

2006年4月
著者

Globalinx Corp.

株式会社グローバリンクスは、1968年の創立以来、日本企業や外資系企業のビジネスピープルを対象に、国際ビジネス・コミュニケーション・スキル、異文化マネジメント・スキル、人事管理スキル、人間関係スキルなどの研修プログラムを提供している研修専門機関です。

これらのプログラムを通して、多くの人が国際舞台で活躍するために必要なビジネス・コミュニケーション・スキルやマネジメント・スキルを開発し、上達するためのお手伝いをしております。

株式会社グローバリンクス
〒101-0041　東京都千代田区神田須田町2-23
野村第一ビル5階
TEL 03-5297-8243　FAX 03-5297-8689
http://www.globalinx-itc.com
Email info@globalinx-itc.com

注意

本文中のミーティング事例、表現例における場面・状況設定は架空のものであり、記載されている個人名・会社名・団体名などは、実在するものではなく、特定の個人・会社・団体とのかかわりは一切ありません。

本文中に記載されている国・地域・文化に関する表現は、一般に公開されている情報に基づいたものであり、特別な意図・意向によって言及されているものではありません。

本書に掲載されているテクニック、スキル、表現はあくまでも基本となる指針・指標であり、使用する環境や状況によりその成果は必然的に異なります。したがってこれらを行使することによって生じた不利益・損害・賠償・解約などについて、著者および株式会社グローバリンクスは一切責任を負うものではありません。

2006年4月
著者
株式会社グローバリンクス

目次／Contents

はじめに ……………………………………………………………… 3

注意 …………………………………………………………………… 4

Introduction 日本人のミーティング観とコミュニケーション観 …… 7

PART 1 スキルとテクニック編 ………………………………… 13

  Section 1: ファシリテーション・スキル ……………………… 15
    1 ファシリテーションの定義・役割・能力 ……………… 16
    2 ミーティングの計画と準備 ……………………………… 23
    3 ミーティングの運営と管理 ……………………………… 31

  Section 2: ファシリテーターと参加者のためのコミュニケーション・スキル … 61
    1 アクティブ・リスニング・スキル ……………………… 62
    2 質問力 ……………………………………………………… 70
    3 アサーティブ・コミュニケーション・スキル ………… 74
    4 ロジカル・コミュニケーション・スキル ……………… 82

  Section 3: 参加スキル …………………………………………… 85
    1 参加 ………………………………………………………… 86
    2 プレゼンター ……………………………………………… 90
    3 書記・記録係 ……………………………………………… 92
    4 オブザーバー ……………………………………………… 95

PART 2 応用編 …………………………………………………… 97

  Section 4: 目的別ミーティング ………………………………… 99
    1 意思決定ミーティング …………………………………… 100
    2 問題解決ミーティング …………………………………… 106
    3 アイデア創造ミーティング ……………………………… 110
    4 プロジェクト立ち上げミーティング …………………… 112
    5 プロジェクト振り返りミーティング …………………… 115

	6　プロジェクト締めくくりミーティング ……………………	118
	7　ネゴシエーション・ミーティング……………………………	120
	8　セールス・ミーティング ………………………………………	128

Section 5:　ミーティングのスタイル ……………………………………… 139
　　　　　　1　1対1ミーティング ……………………………………………… 140
　　　　　　2　公式ミーティング ……………………………………………… 141
　　　　　　3　非公式ミーティング …………………………………………… 142
　　　　　　4　定例ミーティング ……………………………………………… 143
　　　　　　5　委員会ミーティング …………………………………………… 144
　　　　　　6　セミナー ………………………………………………………… 145
　　　　　　7　テレビ／電話会議 ……………………………………………… 146

Section 6:　地域別・国別情報 ……………………………………………… 151
　　　　　　1　地域別情報 ……………………………………………………… 152
　　　　　　2　国別情報 ………………………………………………………… 155

Section 7:　よくある質問集 ………………………………………………… 193

参考図書・文献 ………………………………………………………………… 198

Introduction

The Japanese Outlook on Meetings and Communication

日本人のミーティング観とコミュニケーション観

日本人がミーティングを運営したり、参加したりする様子は、往々にして外国人から「会して議せず、議して決せず」というありがたくない評価を受けているようです。この表現に代表されるように、日本人がミーティングを行う様子は、外国人の目から見ると、奇異に映ることがあるようです。それはどのようなものなのか、もう少し彼らの声に耳を傾けてみましょう。

Common Impressions Non-Japanese Businesspeople Receive from Japanese in Business Meetings
ミーティングの場で外国人が日本人から受ける印象

　ミーティングの場で、外国人が日本人から受ける印象には、以下のものがあるようです。

- ■あまり話さない／発言を控える
- ■言っていることがはっきりしない
- ■「イエス」なのか「ノー」なのかが分かりにくい
- ■本心をなかなか言わない
- ■何を考えているのか読み取るのが難しい
- ■表面的な調和を図ろうとする（場を繕う）
- ■「我々」あるいは「我が社」が主語になることが多く、個人の意見を述べない
- ■「難しそうですね」(That seems difficult.)と言うが、理由がはっきりしない
- ■「検討します」(We will look into it.)などのニュートラルな表現が多い
- ■よそよそしい／リラックスしていない
- ■相手の目をまっすぐ見ない
- ■目を閉じている
- ■相づちを打たない
- ■腕組みをしている
- ■自主性に欠け、皆同じ行動をする
- ■まるで子供のように話し、行動する
- ■議題に直接関係ない人が出席したり、参加者が変更されたりする…などなど

　すべての日本人が必ずしもこのような振る舞いをしているというわけではないのでしょうが、多くの外国人の目にはそのように映っているようです。その中には、日本人のコミュニケーション行動と、その背景に対する理解が不足しているために、

誤解を受けているところもあります。

　例えば、「目を閉じている」というのは、相手の言っていることを聞いていないのではありません。日本人は、むしろ相手の真意をしっかり聞こうとするときに、目を閉じて集中することがあります。そのことを知らない外国人には、「ミーティングの席上で目を閉じている」というのは、寝ているのではないか、興味がないのではないかなど、奇異な振る舞いに映るのでしょう。

　これらの言い分を列挙したのは、外国人から見た、日本人のミーティングの場における言動が「おかしい」とか「間違っている」と言うためではありません。その目的は、「ジョハリの窓」（図1）という自己理解モデルでいうところの「盲目の窓」からフィードバックを得ることにあります。

　「盲目の窓」とは、他人には見えている（知っている）けれど、自分には見えていない（知らない）自分のことを指します。外国人が言うミーティングの場での日本人の姿は、鏡に映し出された自分自身の姿かもしれません。その姿を真摯に見つめることは大切なことです。

		自分が	
		知っている	知らない
他人が	知っている	Open window 開かれた窓	Blind window 盲目の窓
	知らない	Hidden window 隠された窓	Dark window 未知の窓

図1　ジョハリの窓

What Do Meetings Mean for Japanese Businesspeople?
日本人のミーティング観

　ミーティング観とは、ミーティングの目的や進め方に対する捉え方や考え方のことです。外国人から見たミーティングの場での日本人の姿の中に、実は日本人のミーティング観が表れています。一般的に以下のようなことが挙げられます。

＜日本人のミーティング観＞
■情報収集の場、あるいは自分の立場を説明する機会である

- ■ある事項の紹介や報告をする場である
- ■ある事項の周知（背景や状況の共有）を図る場である
- ■関係者間のコミュニケーションを図る場（団結の場）である
- ■総意形成プロセス（根回し）を通して、あらかじめ非公式に関係者各人の考えの擦り合わせが終わっているため、ミーティングの場は「儀式」的であり、意思決定の場ではない
- ■意思決定する必要がある事項については、しかるべき人が別途に集まり決める

　以上に挙げたポイントは、時と場合、あるいは立場や役割によって当然一概には言い切れないところがあります。しかしながら、外国人から見たミーティングの場での日本人の姿（言動）の背景には、これらのミーティング観が無意識に働いていると考えられます。

　また、「発言が控えめ」とか「はっきり話さない」といった、外国人から見た日本人の姿の背景には、先に述べたミーティング観のほかに、日本人のコミュニケーション観や組織観も働いていると考えられます。

＜日本人のコミュニケーション観と組織観＞
- ■英語でコミュニケーションをする際、自信が持てず、気後れする
- ■話し手は聞き手に「察すること」を期待する
- ■中断を快く受け止められないためか、相手の話を遮ることが不得手である
- ■相手に反対意見をはっきり述べて、「和」がくずれ、人間関係に支障をきたすことを恐れる
- ■間違いを恐れ、正確で完全な対応をしようとする
- ■所属組織に強い義務感を抱くため、個人の意見を発言するのに制約がかかる
- ■「全員異議なし」を重視する

Japanese "Self" and Interpersonal Relationship
日本人の「自己」と人間関係

　ここまで、外国人から見た、ミーティングの場での日本人の姿の背景にあるのは何なのかを、日本人のミーティング観やコミュニケーション観、組織観を通して見てきました。ここでは、さらに一歩進めて、日本人の「自己」の捉え方を考えてみます。その理由は、「発言が控えめ」とか「はっきり話さない」ということの真の背景には、「自

己」の捉え方が大きく影響していると考えられるからです。

　それでは、「発言が控えめ」とか「はっきり話さない」という日本人の行動特性は、いつごろから形成されてきたのでしょうか。聖徳太子の「和を以って貴しとなす」というのはあまりにも有名です。おそらく太古の世から、和を乱すことをよしとしてこなかったと推測されますが、16世紀後半に、30年以上にわたり日本に滞在したポルトガル人宣教師が記したとされる『日本覚書』に、興味深い観察があります。

　その宣教師は、当時の日本（人）について「ヨーロッパでは、言葉においては明瞭さが求められ、曖昧さは避けられる。日本では、曖昧なのが一番よい言葉であり、最も重んぜられる」、「われらは憤怒の情を大いに表わすし、短気さを抑えることはほとんどない。彼らは特異な方法でそれを抑制し、たいそう控え目で、思慮深い」と記しています。今から400年以上も前に観察されたことです（松田毅一、E・ヨリッセン『フロイスの日本覚書』）。

　また、ある民俗学者が、第2次世界大戦前後に、「村の寄り合い」に関する今から360年ほど前の古文書を発掘しました。その古文書を解読したこの学者は、当時の人たちは話し合いをするとき、「たとえ話、すなわち自分たちのあるいて来、体験したことに事よせて話すのが、他人にも理解してもらいやすかったし、話す方もはなしやすかったに違いない。そして話の中にも冷却の時間をおいて、反対の意見が出れば出たで、しばらくそのままにしておき、そのうち賛成意見が出ると、また出たままにしておき、それについてみんなが考えあい、最後に最高責任者に決をとらせる」ようであったと述べています（宮本常一『忘れられた日本人』）。

　ポルトガル人宣教師が観察した日本人にも、民俗学者が推測した日本人にも、今日に生きる日本人のコミュニケーション行動に相通ずる点を見いだすことができます。さながら、数百年にわたり、日本人のコミュニケーション行動のDNAとでもいうべきものが受け継がれているかのようです。

　それでは、そのコミュニケーション行動のDNAとは何なのでしょうか。それは、日本人の「自己」の捉え方と関連していると思われます。精神分析家の小此木啓吾は、「日本人の特徴的なメンタリティとして、相手本位で、相手と合体し、相手に一体感を持とうとする心理傾向がある」と指摘し、「相手と自分が別な存在であり、相手は相手で別な気持ち、別な要求、別な権利を持っていて、自分の権利の主張と対立するという局面ではとても弱い」と述べています。

　また現象学をベースにした人間関係を研究している心理学者の早坂泰次郎は、「日本人には、人間関係のなかで、一人一人の異質さが、——ほんとうはそれが当然なのだが——　はっきりしそうになると、タテマエをつくろってでも、つながりと共

通性の形をととのえようとする」と指摘しています。
　このように、日本人の「自己と人間関係」については、多くの専門家（心理学者、カウンセラー、社会学者、文化人類学者、言語学者など）が同じようなことを述べています。それらの専門家の論を大胆にまとめると、日本人の「自己と人間関係」の深層心理には、次のような意識があるといえます。

■相手と自分は同じ存在である
■だから相手との間の相違をよしとしない
■もし相違が生じれば、相手と全人格的なかかわりを避ける

　このことが、外国人から見たミーティングの場での日本人の姿（言動）の背景をすべて説明しているとはいえません。ですが、このことから、そういった言動の背景に、目に見えないDNAが働いていると推察することはできます。つまり、「ジョハリの窓」でいう「未知の窓」（無意識の世界）です。
　また、このDNAは、日本人が国際コミュニケーションの場で弱いといわれている、次の点につながっていると考えられます。

■自分の意見を主体的にまとめる力
■自分の意見を他の人の前で発表する力
■「論理」を形成したり、分析したり、再構成したりする力

　では、こうした点を克服し、国際的ミーティングの場でより積極的なコミュニケーションを図り、生産的で効果的な成果を挙げるためにはどうしたらよいのでしょうか。
　そのひとつの答えとなるものが、「ファシリテーション」という考え方・テクニックです。次のパートから、ミーティングにおけるファシリテーションの考え方（理論）と、その実際の運営テクニックを見ていくことにします。

Part 1
Skills and Techniques
スキルとテクニック編

Section 1　ファシリテーション・スキル
Section 2　ファシリテーターと参加者のための
　　　　　　コミュニケーション・スキル
Section 3　参加スキル

Section 1

Facilitation Skills
ファシリテーション・スキル

1　ファシリテーションの定義・役割・能力
2　ミーティングの計画と準備
3　ミーティングの運営と管理

日本の企業では主に、ミーティングは「議長」が中心になって運営されてきましたが、近年「ファシリテーション」や「ファシリテーター」という言葉・概念が、目に付きはじめています。日本人にはまだ、あまりなじみのあるものではありませんが、欧米では様々な状況で広く使われており、今後日本のビジネスの中でも組織やグループにおいてその重要性が増してくるものと思われます。

　まずミーティングにおける議長とファシリテーターの違いを明確にしておきましょう。簡潔に言うならば、議長とは、「ミーティングを与えられた議題通りに進行させ、決定・採決をする役割の人」をいい、ファシリテーターとは、「決定・採決に至る過程で、参加者が十分な議論ができるよう筋道を立て、参加意欲を高め、ミーティングの目的に向かって正しいプロセスに導く役割の人」をいいます。両者の最も大きな違いは、議長は「議題に関して発言することができ、意思決定プロセスに参加できる（決定権を持っている）」のに対し、ファシリテーターは「発言権がなく、意思決定プロセスには参加できない」という点にあります。

　議長とファシリテーターには、別の人がなることが望ましいのですが、議長がファシリテーター役を兼ねることもあります。こうした場合には、プロセスの段階では、ファシリテーターとしての役割を意識して、できる限り中立の立場をとり、参加者全員に発言の機会を与えるようにします。また、決定・採決の段階では議長としての役割を意識して、時間の配分に気を付けながら決定・採決を行うようにします。

　それでは、「ファシリテーション」と「ファシリテーター」について、その定義や役割、求められる能力などを具体的に見ていくことにしましょう。

1 Facilitation
ファシリテーションの定義・役割・能力

Definitions
ファシリテーションとファシリテーターの定義

　ファシリテート (facilitate) を英英辞書 (Webster) で調べると、"to make easy or less difficult"とあります。すなわち「物事を容易にする、難しさを軽減する」という意味です。そしてファシリテーター (facilitator) は、"someone who makes progress easier"とあります。すなわち「ミーティングなど複数のメンバーが作業や議論をする場面で、進行を容易にする人、何かを生み出したり、決定したりすることをより効果的に行えるようにする人」を指します。そのファシリテーターが行うファシリテーション (facilitation) は、"the act of facilitating or making easy"で、「ミーティングやワークショップなどで、参加者全員に意見を出してもらい、積極的に議論してもらい、議論の流れ（プロセス）を管理し、意思決定や問題解決をスムーズに行うこと」を意味します。

Facilitation Areas
ファシリテーションの領域

ファシリテーションと一口に言っても、活用されている分野は様々ですが、大まかに分けると次の3つが挙げられます。以下に各分野の成り立ちを概観します。

◆Facilitation for Human Relation Growth
人間関係ファシリテーション（教育を主目的とし、体験学習の手法をとる）

1960年代のアメリカにおけるヒューマン・ポテンシャル・ムーブメントの流れに乗って発展した「エンカウンター・グループ」(encounter group)と呼ばれるもので、集中的なグループ体験によって、グループそのものと個人の成長を促します。その成長に働きかける人物をファシリテーター（あるいはトレーナー）と呼びます。

現在、日本でも人間関係トレーニングや教育系のワークショップに広く使われています。以下が参考ウェブサイトです。

http://www.eva.hi-ho.ne.jp/kumasan/kumasan1.htm
http://skunkworks.jp/akagi/

◆Facilitation for Community Development
コミュニティ・ファシリテーション（協働を主目的とし、ワークショップの手法をとる）

1960年代のアメリカの公民権運動の中で、都市部のマイノリティ地域の自立運動から、「コミュニティ・ディベロップメント・コーポレーション」(Community Development Corporation；通称CDC)という民間の非営利組織が生まれました。CDCは官民のネットワークに支えられて発展してきており、官民双方が対等な関係の下に「協働」することが鍵となります。その「協働」のための話し合いの技法として、ワークショップやファシリテーションが体系化されてきています。

日本では、古くから「井戸端会議」が一般的に行われてきており、コミュニティ内の「話し合い」という伝統はありますが、近年では、官民が「協働」する市民参加型の街づくりが盛んです。以下が参考ウェブサイトです。

http://homepage2.nifty.com/CWS/matidukuri.htm

◆**Facilitation for Business Meeting**
ビジネス・ファシリテーション(問題解決を主目的とし、ミーティングの手法をとる)

　ビジネス分野においては、1970年代に Michael Doyle が共著で出版した *How to Make Meetings Work* で、効率的なミーティングの進め方に触れたあたりからファシリテーションが利用されるようになったようです。

　近年では、単にミーティングを効率よく運営するということから、オフサイト・ミーティング(異なった職業・職種の人々が仕事の場を離れ、新しいアイデアを見つけ出すための会合。GEの「ワークアウト」が有名)に見られるように、組織変革のためのミーティングが盛んです。そして、そのミーティングの成否の鍵を握る役としてファシリテーターが注目を集めています。以下が参考ウェブサイトです。

　http://www.laetusinpraesens.org/docs70s/75kyoto.php
　http://www.human-landscaping.com/nextnow/doyle.html

　以上、ファシリテーションが活用されている主な3分野を概観しましたが、今後その他の分野においても、「ワークショップ」の広がりとともにファシリテーターの存在と役割の重要性がさらに増していくことは間違いありません。しかし本書では、「英語ビジネス・ミーティングを効率よく運営し、結果を出すこと」に焦点を当てるのが目的ですので、以後、「ミーティングのファシリテーション」に的を絞って説明します。

Facilitator's Role
ファシリテーターの役割

　The Skilled FACILITATOR(訳本『ファシリテーター完全教本』)の著者Roger Schwarzによると、ビジネス・ミーティングのファシリテーターに求められる基本的な役割は、以下の3つとなっています。

1) Substantively Neutral （ミーティングの中身・意見とプロセスに中立であること）
2) Third Party （第三者であること）
3) Process Expert （プロセス管理に精通していること）

　ミーティングの内容と規模によっては、ファシリテーターにコンサルタント、コーチ、トレーナー、グループのリーダーとしての役割が求められることもありますが、本書ではこれらの役割については触れません。

◆Substantively Neutral
ミーティングの中身・意見とプロセスに中立であること

　ファシリテーターには、ミーティングの中身・意見に中立であることが求められます。意見が割れた場合に、どちらかの肩を持つというのではなく、両方の見方や考え方があることを参加者に示さなければなりません。中立とは「話されていることに対して自分の意見がない」ということではありません。ファシリテーターが議論されている内容について意見を述べると、参加者がその考えに影響されてしまうかもしれません。それを避けるために、ファシリテーターはミーティングの進行役に徹するのです。いわば、ファシリテーターはミーティングの触媒（化学反応において、その反応を促進させる物質）的存在です。

　また、ファシリテーターには意思決定のプロセスに対して中立であることも求められます。すなわち「立場の中立」あるいは「公平性」を意味します。意思決定の基準もファシリテーターが示すのではなく、参加者が基準を設けられるように働きかけます。

◆Third Party
第三者であること

　現実のビジネスシーンでは難しいかもしれませんが、ファシリテーターは、ミーティングの参加者と所属が異なる、あるいは利害関係が少ない第三者であることが理想的です。なぜなら、参加者と所属が同じだったり、利害関係があったりすると、中立を保つのが難しいからです。ファシリテーターが参加者と同じグループ、あるいは同じグループでなくても同じ組織に所属する場合、ミーティングの中身や意思決定に巻き込まれる可能性があります。その意味では、ファシリテーターは組織外の人が望ましいでしょう。しかし、部門内ミーティングなどに、社外の人物をファシリテーターとして招くことは現実的ではありません。そこで、ファシリテーターとしての素養がありそうな他部門（例えば経営企画室や人材開発部門）の人に、第三者としてのファシリテーター役を担ってもらうことをお勧めします。

◆Process Expert
プロセス管理に精通していること

　ファシリテーターには、ポジティブな雰囲気をつくり出し、参加者の参加意欲を高め、ミーティングが効率よく進行できるよう時間を管理し、課題や問題を解決し、ミーティングのアウトプットを出すという、一連のプロセスを管理する役割が期待されます。そのためには、論理的な思考ができる力と、人を巻き込む力（コミュニケーション力）の両方が求められます。

Required Competencies
ファシリテーターに求められる能力

　異文化ビジネスシーンにおけるファシリテーターの役割を全うするために必要な知識やスキルは多岐にわたりますが、ここでは主要な3つの領域に絞ってみます。それは下図のように、「マインド」、「ノウハウ」、「スキル」にまとめられます。

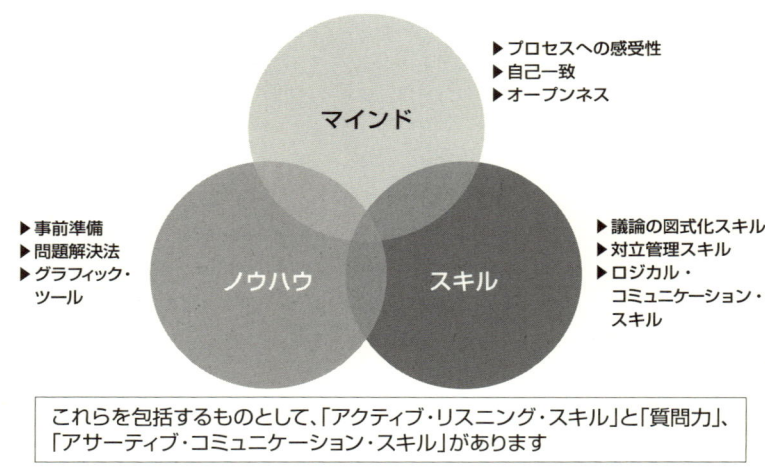

図2　ファシリテーターに求められる能力

　それでは、各領域をもう少し詳しく見ていきましょう。

◆**Mind**
マインド
●**Sensitivity for Process　プロセスへの感受性**

　「プロセスへの感受性」とは、文化背景を異にした参加者一人ひとりが語る言葉を、その表面的な内容のみならず、その裏にある意図や動機も含めて聞くことです。そのためには、言っていること（コンテンツ）を聞くとともに、どのように発言しているか（プロセス）にも目を向けます。

　ファシリテーターは、ミーティング全体の中で起こっているプロセスを捉えるために、話している人だけでなく、話を聞いている人の様子にも注意を払わなければなりません。つまり、ミーティングに参加している一人ひとりのプロセスと、ミーティング全体のプロセスを「見る、聞く、感じる」力が求められます。

●Self-Congruence　自己一致

　ミーティングの場で、ファシリテーターと参加者との間には「対等」であり「相互影響」がある関係が望まれます。その間に上下関係があったり、お互いに距離をおいた関係の場合、参加者は防衛的になったり、自由に振る舞えなくなったりする可能性があります。ファシリテーターが参加者との間に、信頼でき、親密で防衛的でない関係を形成していくためには、ファシリテーターの「自己一致」した態度が重要です。自己一致とは、ファシリテーターの内的プロセス（心で思っていること）と外的プロセス（言動）を一致させていくという態度を意味します。自己一致した態度のためには、自分自身に「正直で誠実」であるとともに、参加者一人ひとりならびにグループ全体に対しても「正直で誠実」なかかわりが求められます。

●Openness　オープンネス

　異文化コミュニケーションを成功させるためのキーワードのひとつが「オープンネス」です。オープンネスとは、「その場と人に開かれている」という意味です。ファシリテーターには、ミーティングの場で参加者から信頼され、親密で防衛的でない関係を築くために、前項の自己一致した態度とともに、オープンネス（開放的／楽天的）という心のあり方が求められます。ファシリテーターの役割のひとつが「触媒」であると前述しましたが、その触媒として、ミーティングの雰囲気を「明るく、楽しく、前向き」に誘導することが求められます。

　また、参加者のいろいろな意見を受け入れ、承認するため、さらに反論や批判に対して冷静に対処するためにも、オープンネスという心のあり方が重要です。

◆Know-how
ノウハウ
●Preparation　事前準備

　ミーティングに臨む際には、事前準備が非常に大切です。ミーティングの目的やゴールのイメージ、参加者に期待すること、議論の進め方などの「成功の絵」が描けるかどうかが鍵となります。（23ページ）

●Problem Solving　問題解決法

　一口に問題と言っても、その内容や規模は多岐にわたります。それと同様に、問題解決法といわれるものも数多く存在しますので、問題の内容や規模に応じ

て適切な解決法を選択するようにしなければなりません。(106ページ)

●Graphic Tools　グラフィック・ツール
　ファシリテーターは、参加者の想像力や創造力を高め、議論を活発化させるようなグラフィックを描くノウハウを身に付けるようにしなければなりません。(46ページ)

◆Skills
スキル
●Discussion Diagrams Skills　議論の図式化スキル
　ファシリテーターは、前項のグラフィックを描くノウハウを身に付けると同時に、議論を視覚的に表す「議論の図式化スキル」も向上させなければなりません。(48ページ)

●Conflict Management Skills　対立管理スキル
　多くのミーティングの席では、対立や摩擦が起きがちであり、ファシリテーターはそれらの対立や摩擦を適切に処理していかなければなりません。ファシリテーターは、そのためのスキルやテクニックも身に付けていなければなりません。(50ページ)

●Logical Communication Skills　ロジカル・コミュニケーション・スキル
　ファシリテーターは、議論や主張の論理を形成したり、分析したり、再構成したりする力も身に付けていなければなりません。(82ページ)

　これらを包括する能力として、「アクティブ・リスニング・スキル」と「質問力」、「アサーティブ・コミュニケーション・スキル」という3つのコミュニケーション・スキルがありますが、それらについてはSection 2で詳しく見ていくことにします。

　それでは、次節より具体的なファシリテーションの仕方と心構え、スキル、コツを、ミーティングの段階を追いながら見ていくことにします。

2 Planning and Preparing
ミーティングの計画と準備

Objective and Purpose
ミーティングのねらいと目的

　ミーティングを計画・準備する前に、ファシリテーターはまず、達成すべき目的は何なのかを注意深く考え、ミーティングがその目的を達成するベストな方法かどうかをよく考慮するようにします。

　その目的が、関係者への電子メールや電話、あるいは非公式な話し合いでより効果的に達成できるのであれば、ミーティングを開く必要はありません。ミーティングを開くのにふさわしいのは、グループのコンセンサスを得たい、チームワークを強化・向上したい、問題解決のために知識や経験を共有したい、あるいは新しいアイデアを創造したい、などといった目的があるときでしょう。

　もし、ミーティングがその目的を達成するベストな方法だと確信できたら、計画と準備に取りかかります。"The meeting is successful if...."（もし〜であったなら、このミーティングは成功したといえるでしょう。）という文章を完成させながら、目的達成に合ったミーティングのスタイル（139ページ）を設定します。以下が例です。

例 (CD TRACK 02)

- The meeting is successful if we can find a solution to the network failures and get the system back online by eight o'clock tomorrow morning.
  （もし、ネットワーク障害の解決策を見つけられ、明朝8時までにオンライン・システムを復旧できれば、このミーティングは成功したといえるでしょう。）

- The meeting is successful if we can agree on effective ways of reducing production costs by 10%.
  （もし、製造コストを10パーセント削減する効果的な方法に合意できたら、このミーティングは成功したといえるでしょう。）

◆Preparation
事前準備

　ネゴシエーションやプレゼンテーションを行うときと同じように、ミーティングを行うときにも事前準備が重要です。この事前準備に求められるのは企画力、あるいは構想力です。問題解決やプロジェクト遂行のためのミーティングは、単なる報告や

連絡の場ではありません。参加者は「創造性」を発揮し、活発な議論を交わさなければなりません。そのためにファシリテーターは、ミーティングの「成功の絵」をデザインし、参加者に示さなければなりません。

参加者が大切な項目や達成目標に注意を向けられるように、ミーティングの「目的」や「アジェンダ（議事日程表）」をホワイトボードなどに書き出して視覚化しておきましょう。また「ルール」と「役割」についても、ファシリテーターが円滑な進行ができ、参加者の協力とサポートが得られるように視覚化しておきましょう。グループが何を達成すべきかが明確に理解できるように、「達成目標」や「克服すべき課題」を「アジェンダ」に盛り込んでおくことも大切です。図3はその例です。

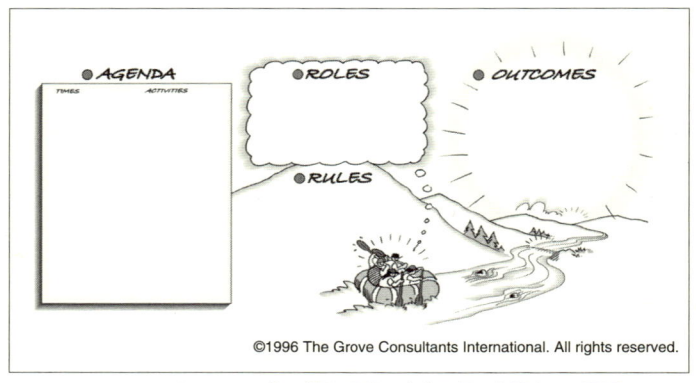

Outcome	ミーティングの成果・目的、達成目標、克服すべき課題
Agenda	アジェンダ（議事日程表）
Role	ファシリテーターの役割、参加者の役割
Rule	ミーティングを円滑に進めるためのガイドライン

図3　ミーティングの事前準備（イメージ図）

Grove Consultants International のサイト（http://www.grove.com/）は、こうしたミーティングの目標やプロセスを視覚化するためのグラフィック・ツールに関する有益な情報源であり、ファシリテーターやビジネスリーダーにとって大変役立ちます。

ミーティングを効果的にファシリテートするためには、ファシリテーターは計画と準備の段階から関与し、アジェンダの作成を手助けする必要があります。その際、なぜグループはその目的を達成しようとするのか、なぜそのことを決定することが大切なのか、なぜほかのことは後回しにできるのか、を大局的な見地で理解しましょう。また、ときとして、事前に鍵となる参加者と会っておいた方がよい場合があります。各参加者がミーティングの準備をしっかりと行えるよう、明確な指示と課題を与

えます。その際可能ならば、アジェンダなど、準備のために必要な情報も参加者に渡しておきましょう。

　計画と準備の段階から関与することにより、ミーティングに適切な会場を準備することができます。会場というのは、ミーティングの調子や雰囲気を決めるという点で非常に大切です。よい会場とはまた、参加者にミーティングへの参加を促すものでもあります。考慮すべきポイントは、部屋のサイズ、設備・備品、開催場所、そして部屋のレイアウトです（28ページ）。また、ミーティングの目的が達成しやすくなるような、ミーティングのスタイル（139ページ）を設定してください。目的と規模にもよりますが、一般的によく使用されるものとして、部屋のレイアウトとしては、円卓型、伝統的序列型[※1]、ミーティングのスタイルとしては、テレビ／電話会議、セミナーなどがあります。また、公式か非公式か、議事録ありかなしか、体系化されたもの[※2]かそうではないか、といったようなミーティングの形式も考慮しなくてはなりません。成功するミーティングとは、よい計画とよいファシリテーションの結果であることを覚えておいてください。

[※1] 議長が長方形のテーブルの端に座る部屋のレイアウト。（141ページ）
[※2] 業績評価や採用面接などのように、論点が決まっているような形式。

◆Agenda
アジェンダ

　アジェンダとは、議事日程（進行）表のことです。作成の際に、考慮すべき大事な点が3つあります。

　1つめは、アジェンダはミーティングの目的が達成できるように作られるべきであるということです。そのためには、ミーティングの目的を注意深く分析し、目的達成のために、話し合って合意する必要がある議題を明確にしましょう。そして、これらの議題を適切な順番で、アジェンダに項目化していきます。

　2つめは、アジェンダはミーティングの進行とコントロールがしやすいように作られるべきであるということです。これはすなわち、ミーティング中に話し合われる議題の数と、各議題に配分する時間は、現実的なものでなくてはならないということです。犯しやすい間違いとして、アジェンダに多くの議題を盛り込みすぎたため、話し合いに十分な時間がとれない、ということがあります。

　3つめは、参加者全員に事前にアジェンダを配布することです。もしアジェンダが100パーセントの出来ではないと感じていても、素案の段階で構わないので参加者全員に配布するとよいでしょう。これにより、参加者はミーティングの準備をしやすくなり、またこちらは参加者からアジェンダの内容についてアドバイスをもらえるこ

Agenda for HRD Meeting

Purpose: Define criteria to train overseas assignees so that they can effectively work and communicate in an international business environment.

Date: 20 June 2006
Time: 9:00–12:30
Location:
    Conference Room, No.7
Assignments:
    Graeme Smith–Presentation
    Tom Roberts–Presentation
Attachments:
    i) Minutes 11/May/2006
    ii) Training Plan
	Chairperson: Isao Suzuki
	Recorder:
	    Bob Brown (Extn. 216)
	Participants:
	    Wiliam Song
	    Tom Roberts
	    Greame Smith
	    Taro Yamada
	    Jiro Tanaka
	    Lee Shu

Item:	Time:
1 **Routine:** Review minutes and actions of previous meeting.	15 minutes
2 **Presentation:** Status Report–Graeme Smith ・Analysis of the present training system. ・Strengths and weaknesses of the current training program. ・Members should refer to the attached summary of questionnaires.	15 minutes
3 **Presentation:** Training Plan–Tom Roberts ・Future international staff requirements. ・Skills and knowledge requirements–Present trends and demands on staff. ・Members should refer to the attached presentation slides.	15 minutes
4 **Main Issue:** Criteria for future training programs. ・All members are expected to participate and input ideas in a round table discussion. ・Establish clear criteria to initiate and evaluate future training programs.	55 minutes
5 **Objective:** Finalize the new pre-departure training criteria. ・All members are expected to participate in a round table discussion.	20 minutes
6 **Routine:** Date and time of the next meeting.	

図4　アジェンダのサンプル

とになります。その後、アジェンダを修正して完成させ、参加者に配布しましょう。ミーティング実施日の1週間ほど前が理想的です。(サンプルは図4参照)

＜考慮すべきポイント＞
■ロジスティックス：時間、日程、場所
■参加者：議長、書記、メンバー
■目的：決定すべき事項
■重要点：各項目、主要議題
■課題：(次項参照)
■添付：(28ページ「添付」の項参照)

◆Assignments
課題

　ミーティングが効果的であるかどうかは、参加者がどのくらい準備をしてきたかによります。できれば参加者全員に、ミーティングのための課題を与えるとよいでしょう。このことがより生産的なミーティングへの参加と結果をもたらすことにつながります。またプレゼンテーションを行ったり、報告書を作成したりする人が必要になる場合は、これらの人たちに直接連絡をとり、どんな形式で、どのように情報を伝達してもらいたいか、どれだけの時間が与えられるのか、会場ではどんな設備や機器が使えるのか、といったことを明確に伝えます。その際、できればミーティングの1週間前までにプレゼンテーション資料や報告書の写しを提出してもらうよう依頼しましょう。そうすることにより、ファシリテーターはそれらに目を通すことができ、また彼らはミーティングのためにきちんと準備する十分な時間をとることができます。さらに、アジェンダと一緒にそれらのプレゼンテーション資料や報告書の写しを参加者に配布することも可能になります。

＜考慮すべきポイント＞
■各参加者はどのようにミーティングの準備をすべきか
■各参加者はどのように情報を発表すべきか
■資料はどういった形式で準備したらよいのか
■どのくらいの時間が与えられるのか
■どんな設備や機器が用意されているのか
■プレゼンテーション資料や報告書の写しはいつまでに提出されるべきか

◆**Attachments**
添付

　ミーティングを効率的に行うために、サポート情報や資料をアジェンダに添付しておきます。これにより、参加者のミーティングの準備が容易になるほか、事前に情報や資料を読んでおけるので、ミーティング中に読む時間を節約することができます。また事前に適切な情報や資料を提供することで、参加者が意見や質問を前もって準備しやすくなり、ミーティングがより生産的なものになります。効果的なミーティングとは、多くの時間を議題の話し合いと意見の共有にあてるもので、決して情報や資料を読むためのものではないのです。

＜考慮すべき添付物＞
　■報告書やサポート情報
　■財務データやスプレッドシート
　■通常添付されるデータ――生産予測や販売予測など
　■プレゼンテーション用のハンドアウトやスライド
　■前回ミーティングの議事録

SELL (Size, Equipment, Location, Layout)
参加者に影響を及ぼす4つのポイント

　多くのビジネスピープルは、ミーティングになかなか参加したがりません。ミーティングが時間の浪費に思えたり、自分が参加する理由や意義が分からなかったり、あるいは他の仕事で非常に忙しかったりするためです。彼らは、絶対に必要である、または自分が直接関係していると思えるミーティング以外には参加しようとしません。ですから、ファシリテーターとしては、参加してもらいたい人たちに、ミーティングへの参加を前向きに考えてもらうよう仕向けなくてはならないのです。以下がミーティングの目的や内容以外で参加者に影響を及ぼす大切な4つのポイントです。

◆**S = Size**
部屋のサイズ

　ミーティングルームには大きめの部屋を用意するようにしてください。日本のミーティングルームは小さくて狭苦しいことで有名です。高い天井と心地よい空調設備および窓のある、大きくて明るいミーティングルームを用意しましょう。また、家具も考えておきましょう。高さの調節ができる座り心地のよいイスと、しっかりしたテーブル

を使うようにします。

◆E = Equipment
設備・備品

　ホワイトボード、ペン、鉛筆、メモ用紙といった、効果的なミーティング運営に必要な基本的備品をしっかり準備しましょう。またビデオや、プレゼンテーション用のプロジェクターとスクリーンといった機材についても考慮しておきます。長時間にわたるミーティングやセミナーのために、飲み物や軽食などを部屋に準備します。また喫煙者のために、ミーティングルームから少し離れた場所に喫煙場所も設けておきましょう。

◆L = Location
開催場所

　参加者全員の地域性を考慮して、皆に都合のよい場所を設定しましょう。場所が参加者にとって都合がよかったり、魅力的であったりした場合には、参加しようという気になるものです。

◆L = Layout
部屋のレイアウト

　部屋のレイアウトは、ミーティングの目的が達成しやすいようなデザインにすべきです。これは、しばしば見過ごされてしまうのですが、ミーティングの持つ雰囲気やスタイル（139ページ）を決める大切な要素でもあるのです。

Tips for Chairing/Leading Meetings
議長・リーダーのためのヒント

　すでに見てきた通り、ファシリテーターの立場は中立でなければならず、かつ多くのスキルとノウハウが求められます。議長もまた、ファシリテーターと同様のスキルやノウハウを身に付けておかなければなりません。しかし、議長には通常「議長の立場を離れる」ことなく問題を話し合う義務があります。発言する際には、"I will add my name to the speakers' lineup."（私自身も発言者リストに名を連ねたいと思います。）や"I want to speak for the second time on this issue."（この問題に関して2回目の発言をしたいと思います。）といった表現を使って、プロセスや結果を押し付けるのではなく、他の参加者と同じ土俵で発言することが望まれます。ミーティングの議長に指名されていて、意思決定プロセスに参加したい、また結果に関与したい場合は、ミーティング全体、あるいは少なくとも一部をファシリテーターにゆだねるのが賢明です。

　このセクションの冒頭でも述べましたが、議長がファシリテーターを兼任する場合は、ミーティングのプロセスの段階では、「ファシリテーター」としての役割を意識して、できる限り中立の立場をとり、参加者全員に発言の機会を与えるようにします。また、決定・採決の段階では、「議長」としての役割を意識して、時間の配分に気を付けながら決定・採決を行うようにします。

　議長はリーダーとして見られ、グループからはある程度の尊敬を集めますが、このことが有利に働く場合と不利に働く場合があることを覚えておいてください。グループをコントロールし続ける、アジェンダに集中させる、あるいは望む結論にグループを導くといった場合には、議長としての立場が役立ちます。しかし、グループのコンセンサスを得たい、アイデアのブレインストーミングを行いたい、あるいは問題解決をしたいといった場合には、議長の意に反して、グループは単に議長に従うだけで積極的な参加や意見の交換・共有をしようとしない、ということにもなりかねません。

　結論として、議長の総合的な義務は、「人」、「問題」、「時間」を管理し、これら3つの要素の適切なバランスを保ちながら、ミーティングの目的を達成させることにあるといえるでしょう。

3 Conducting
ミーティングの運営と管理

Beginning
ミーティングの開始

◆Opening Statements
オープニング・ステートメント

　ファシリテーターはミーティングをコントロールし、グループがその課題を達成できるようにしなくてはなりません。明確なオープニング・ステートメント(開始の言葉)を述べることによって、正しい方向でミーティングが始められ、誤解を避けることにつながるのです。オープニング・ステートメントでは、ミーティングの**目的**、現在の状況を理解してもらうための適切な**背景情報**、およびミーティングで達成すべき**課題や決定**を参加者に明確に伝えることが大切です。以下にその表現例を挙げます。

例

🄌 Stating Purpose　目的を述べる

- I'd like to clarify the purpose of this meeting.
  (このミーティングの目的を明確にしておきたいと思います。)

- In our meeting today, I would like to discuss....
  (本日のミーティングでは、～について話し合いたいと思います。)

- This meeting is to discuss the manufacturing schedule for the new computer.
  (このミーティングは、新しいコンピューターの製造スケジュールを話し合うためのものです。)

- The purpose of this meeting is to solve the problems with the turbo charger.
  (このミーティングの目的は、ターボチャージャーの問題を解決することにあります。)

🄂 Giving Background　背景情報を伝える

- I would like to start by explaining the situation as I understand it.
  (私が理解している状況を説明することから始めたいと思います。)

- Could I begin by briefly reviewing our requirements?
  (私どもの要求を簡単に振り返ることから始めてもよろしいでしょうか。)

- I would like to start by giving some background information concerning....
  (～に関して、いくつか背景情報をお伝えすることから始めたいと思います。)

- I'll start by reviewing the current market situation and then move on to my proposal.
  （現在の市場状況の復習から始め、次いで私の提案に移りたいと思います。）

- The background to this problem as I see it is....
  （私の見るところ、この問題の背景とは〜です。）

05 Clarifying Expectation or Task　課題や決定を明確にする

- So I would like to find a way to solve this problem.
  （したがって、この問題の解決策を見つけたいと思っています。）

- So I would like to discuss ways of achieving an agreement on....
  （ですから、〜についての合意を達成する方法を話し合いたいのです。）

- Therefore I would like to find the best way to implement the new prices without losing orders.
  （そこで、注文を失うことなく新しい価格を導入するのに最良の方法を見つけたいと思います。）

- By the end of this meeting, I would like to agree on the payment terms and conditions for all outstanding accounts.
  （このミーティングの終わりまでに、すべての未払い金の支払い条件に合意したいと思います。）

Tips for Beginning Meetings
ミーティングの開始のためのヒント

▶ 全員がそろわなくても時間通りに始めます。参加者には時間厳守を徹底させましょう。時間通りに来た参加者には "Thank you for attending this meeting on time. I appreciate your cooperation."（時間通りにご参加いただきありがとうございます。ご協力に感謝します。）といった表現で感謝の言葉を述べます。

▶ 携帯電話の電源を切るよう参加者に依頼し、ミーティングのルールを確認しましょう。できればフリップやポスターでミーティングのルールを示しておくとよいでしょう。これは、難しい状況や、問題を引き起こす参加者に対応する際に役立ちます。

▶ 話し合う必要のある重要な議題や項目は、ホワイトボードやフリップに書き出しておきましょう。これはグループにミーティングの目的を知らしめて、それに集中させると同時に、ミーティングそのものを重要な項目を中心に運営しやすくします。

▶ 参加者全員が、アジェンダの写しと、関連する添付書類を持参しているか確認します。

▶ 参加者が7人以上の場合は、オープニング・ステートメントは立ち上がって行いましょう。6人以下の場合は座ったままで構いませんが、はっきりと話しましょう。

◆START (Skills, Tasks, Authority, Resources, Time)
効果的なミーティングにするための事前チェック

ミーティングではしばしば、参加者が作業に対する適切なスキルを持ち合わせていない、課題を明確に理解していない、ふさわしい権限や資料・情報を持っていない、あるいは時間の指定のないままに仕事が課せられている、ということがよくあります。ですから、以下に挙げる5つのポイント(頭文字をとって**START**と呼ぶ)を注意深く考慮しておく必要があります。

1) 参加者がふさわしい**スキル(Skills)**を持ち合わせていないとミーティングは非生産的なものになってしまいます。
2) ファシリテーターや議長はミーティングを計画する前に、その目的と**課題(Tasks)**を明確に定義しておかなければなりません。
3) グループは、誰が提案を認可する**権限(Authority)**を持っているのか、知っておくことが大切です。
4) 適切な**資料・情報(Resources)**なくしては、グループがその課題を達成することは難しくなります。
5) グループ活動の生産性と効果というものは、明確に**時間(Time)**が示されている場合、飛躍的に向上します。

以下に各ポイントの詳細と、確認のための有用表現を紹介します。

Skills スキル

誰がどういったミーティングに参加すべきかを決定付ける要素は様々です。一般的には、ミーティングに参加する人数は少人数の方がよいのですが、問題(課題)解決のための適切なスキルを持った参加者がいないことには、ミーティングは生産的になりません。場合によっては、ファシリテーターは適切なスキルと責任を持った人たちに参加してもらうよう働きかけなければなりません。

 例

- Can I just clarify that we have the appropriate skills represented to solve this problem?
  (この問題を解決するスキルを持っている人が出席しているか、明確にしておきたいのですが。)

- Does anybody feel that this meeting could be more productive if other skills

are represented?
（もし他のスキルがあれば、このミーティングがもっと生産的になると、お感じの方はいますか。）

- May I just confirm who has the authority to represent the client's interests in this meeting?
（このミーティングで、誰が顧客の利害を代弁する責任をお持ちなのかを確認したいのですが。）

Tasks　課題

達成しなければならないことは何か、問題は何かを、正確にグループが理解していなくては、解決策を見つけることは難しくなります。課題や問題が非常に明確で、詳細な分析を必要としないこともときとしてありますが、達成すべき課題は明確に示すようにしましょう。以下の2つの表現例のグループのうち、「議論を深めやすい表現」を参考に、参加者に課題を伝えていくようにしましょう。

議論に結びつきにくい表現

- We should do something about recruiting skilled employees. (Too broad, no clear objective)
（スキルを持った社員を採用するため、何かしなければなりません。）〔定義が広すぎて明確な目的がない〕

- Should we upgrade our computer system? (Possible Yes or No answer)
（コンピューター・システムをアップグレードすべきでしょうか。）〔yes, noで答えられるため議論が深められない〕

07　議論を深めやすい表現

- How can we recruit employees with the following specific skills...?
（どうしたら〜といったスキルを持った社員を採用できるでしょうか。）

- How can we process orders 25% faster?
（どうしたら注文を25パーセント速く処理できるでしょうか。）

- Our task is to find the best way to increase our market share in China by 5%.
（我々の課題は、中国での市場シェアを5パーセント拡大するための最良の方法を見つけることです。）

- The purpose of this meeting is to find a solution to the network failures.
（このミーティングの目的は、ネットワーク障害の解決策を見つけることです。）

- Do you have any questions regarding the task or the problems we face?
（私たちが直面している課題あるいは問題について、何か質問がありますか。）

Authority　権限

グループが、命令系統や、誰が実際にグループの提案を認可するのかを理解しておくことは大切です。これは、グループが適切な書式で報告書や書類を準備するときに役立ちます。必要であれば、それら権限を持つ人たちにグループの最終提案を支持してくれるよう働きかけましょう。

例

- The director of marketing will decide whether or not to implement our recommendations.
  (マーケティング部長が、我々の提案を実行するかどうか決定することになります。)

- Our recommendations must be approved by the board of directors before implementation.
  (私たちの提案は、実行される前に取締役会によって認可されなければなりません。)

- The technical director will be the final decision maker for this project.
  (技術部長がこのプロジェクトの最終決定者となります。)

Resources　資料・情報

多くの場合、プロジェクトの立ち上げ当初からどんな資料・情報が必要かということが明確になっているということはありません。しかし、どういった資料・情報が必要になってくるかを話し合うことは、グループにとって有益です。それにより、資料・情報を認知し収集するための適切な行動がとられ、プロジェクトの実現性を評価することにもなります。

例

- I would like to clarify what resources each department needs to complete this project.
  (このプロジェクトを完遂させるために、各部門ではどんな資料・情報が必要かを明確にしたいと思います。)

- I'd like to start by clarifying the necessary resources that need to be allocated to this project for it to be completed on schedule.
  (スケジュール通りにこのプロジェクトを完了させるために必要な資料・情報は何かをはっきりさせることから、始めたいと思います。)

- I will arrange for the necessary resources to complete this work. Please

inform me what resources you need by the end of this week.
(この仕事を仕上げるために必要な資料・情報を用意するつもりです。どんな資料・情報が必要なのか、今週末までに私に教えてください。)

Time　時間

　グループ活動の生産性と効果は、はっきりと時間枠が示されている場合、飛躍的に向上します。ただし、時間枠は現実的で達成可能なものでなければなりません。非現実的で達成困難な時間枠は、グループの生産性に否定的な影響をもたらします。

CD TRACK 10　例

- We must propose an alternative solution by the end of this week.
  (今週末までに代わりの解決策を提案しなければなりません。)
- Our recommendations must be submitted by the end of this month.
  (私たちの提案は、今月末までに提出されなければなりません。)
- So I would like to discuss how we can complete this work by Friday.
  (それでは、どうすればこの仕事を金曜日までに仕上げられるかについて、話し合いたいと思います。)

　次ページより、オープニング・ステートメント全体のサンプルをいくつか挙げます。

＜オープニング・ステートメントのサンプル＞

Example 1　One-on-One Meeting　1対1ミーティング

- Good morning, Paul. I'd like to talk about the training we conducted last week at Yamato Corp. Do you have a few minutes?

Let me start by briefly reviewing the situation. A few days ago, Tanaka-san called me and claimed that he was not fully satisfied with the training course. He said that we did not give enough detailed instructions to operate the new equipment. Frankly, I was a bit surprised to hear from him directly, because he is your client. However, it seems that he wanted to talk to me directly because we know each other quite well, and he felt it would be easier discussing this kind of matter in Japanese. I felt rather uncomfortable listening to his complaint directly, because he even suggested that I should do the training next time. I was really quite surprised.

So I'd like to talk about the training we gave and discuss how to respond to Tanaka-san's concerns.

(おはようポール。先週、ヤマト社で行ったトレーニングについて話したいのですが、ちょっと時間はありますか。

まず状況を手短に説明させてください。数日前、田中さんから電話があり、トレーニング・コースに十分には満足していないということでした。新しい機器の操作方法を私たちが十分に説明しなかったと言うのです。正直なところ、田中さんから直接電話を受けて少々驚きました。というのも彼はあなたの顧客なのですからね。しかし、田中さんが直接私と話したかったのは、彼と私はよく知った仲ですし、こうした問題は日本語の方が話しやすいと考えたからのようです。直接彼の不満を聞くのはあまり気持ちのよいものではありませんでした。なにしろ次回は私にトレーニングをやってくれとさえ言うのですから。本当にびっくりしましたよ。

そこで、私たちが行ったトレーニングについてと、田中さんが心配している点にどう応えるかについて、話し合いたいと思います。)

Example 2　Internal Department Meeting　社内部門ミーティング

- Good morning gentlemen. The purpose of this meeting is to discuss Mark's request for capital expenditure for the online customer service project.

Let me start by briefly reviewing the current status. Over the last three months, he has evaluated various options aimed at improving customer service and reducing costs, in other words, how to provide a more efficient service that meets the needs of our customers. As a result of these evaluations, he believes that the best option is to provide a comprehensive online support system. The system will require an initial capital expenditure of three hundred thousand dollars, and an annual maintenance budget of twenty five thousand dollars. I have asked Jim to attend this meeting to provide technical support, so that we can clarify any technical concerns we may have, or questions related to system requirements.

I would like Mark to begin by presenting the background of this project, and then he will present the details of his proposal. I hope that by the end of this meeting, you will understand that by approving his request for three hundred thousand dollars, we will save over seven hundred thousand dollars in costs and improve our customer service.

(皆さんおはようございます。このミーティングの目的は、マークさんから出されていたリクエスト、すなわちオンライン・カスタマー・サービス・プロジェクトへの資金拠出について話し合うことです。

まず現在の状況を手短に振り返っておきたいと思います。彼は過去3カ月にわたって、カスタマー・サービスの向上と費用削減──つまり、どうすれば顧客のニーズに合ったサービスをより効率的に提供できるか──について、様々なオプションを検討してきました。検討の結果、包括的なオンライン・サポート・システムを提供することが最良のオプションであると確信するにいたりました。しかし、システムには初期費用として30万ドル、さらに年間維持費として2万5千ドルが必要となります。このミーティングには、テクニカル・サポートをしてもらうためジムさんにお越しいただきましたので、何か技術上の懸念が生じてもそれを解消することができますし、システム上の要求に関する疑問も解消できます。

まず、マークさんにこのプロジェクトの背景を伝えてもらい、次いで提案について詳しく話してもらいます。このミーティングが終わるまでに、30万ドルの資金拠出の承認により、70万ドルを超える費用削減と、カスタマー・サービスの向上が可能となることを、皆さんにご理解いただけることを願っております。)

🔵 *Example 3*　**Problem Solving Meeting**　問題解決ミーティング

- Good morning everybody and thank you for coming. The purpose of this meeting is to identify the cause of the recent inventory losses and to come up with some ideas to reduce these losses.

Let me start by giving you some background information. By inventory losses, I mean materials that are received from our suppliers and then go missing or are somehow damaged beyond repair. These losses might occur in the main warehouse, on the way to the stores or within the stores themselves. Over the last two months these losses have dramatically increased from a monthly average of 5% to an amazing 11%.

Our task is to find the cause of the problem and implement corrective action plans by the end of this month. If we are successful, we can still achieve our quarterly profit target.

(皆さんおはようございます。また、ご参加いただきありがとうございます。このミーティングの

目的は、最近の棚卸損の原因を特定し、こうした損失を減らすためのアイデアを考え出すことです。
いくつか背景情報をお伝えすることから始めたいと思います。棚卸損とは、業者から仕入れた材料のうち、紛失、あるいは修理不可能なほど損傷したもののことです。こうした損失は、主要倉庫での保管時、店舗への配送中、あるいは店舗そのものの内部で起こっていると思われます。過去2カ月でこうした損失は、月平均5パーセントから驚くべきことに11パーセントへと急激に増えております。
私たちの課題は、こうした問題の原因を特定し、今月末までに是正措置の計画を実行することにあります。これが成功すれば、四半期利益目標を達成することはまだ可能です。)

Example 4　Formal Large-Group Meeting　大規模な公式ミーティング

● Good morning everyone and thank you for attending this meeting. The purpose of this meeting is to discuss the feasibility of establishing a wholly owned subsidiary of Japan International in Los Angeles.
First of all, I would like to thank all of you who are actively involved in the U.S. operation of our company for attending this meeting. I believe that all of you have completed in-depth research and analysis on your respective areas, and are prepared to present your reports in this meeting. I would also like to thank President Shiroki, Vice President Matsuzaki, and our Managing Director Ishii from our Tokyo head office for attending this important meeting. I hope that by the end of this meeting, we can reach an agreement on the feasibility of establishing a wholly owned subsidiary in the United States. There are five items on the agenda, starting with presentations from each department manager and concluding with the wording for the press release. I have asked Sumida-san to take the minutes of this meeting, and I have also assigned Nakamura-san as timekeeper. In addition, to use our time effectively and avoid disruptions, I would like all members to switch off their mobile phones and stay focused on this meeting. Please do not break into smaller groups to discuss issues. Please share your opinions with the whole group and follow the agenda. Thank you for your understanding.
If there are no questions or points of clarification, I'd like to move on to the first item on the agenda.

(皆さんおはようございます。また、このミーティングにご参加いただきありがとうございます。このミーティングの目的は、ジャパン・インターナショナルの完全子会社をロサンゼルスに設立することの実現性を話し合うことです。
まず初めに、我が社の米国での事業活動に積極的に携わっている皆さんが、このミーティングに参加してくださったことにお礼を申し上げたいと思います。皆さん全員がそれぞれの領域についての詳細な調査および分析を終えており、このミーティングで報告する準備ができ

ている、と確信しております。また、東京本社から白木社長、松崎副社長、石井常務がこの大切なミーティングに参加してくださったことに感謝いたします。このミーティングの終わりまでに、米国での完全子会社設立の実現性に関して合意を得られるものと期待します。アジェンダには5つの議題があり、各部長からのプレゼンテーションで始め、プレスリリースの文面を決めて締めくくります。このミーティングの議事録を住田さんに、タイムキーパーを中村さんにそれぞれお願いしてあります。加えて時間を効果的に使い、中断を避けるために、皆さん全員に携帯電話のスイッチを切っていただき、ミーティングに集中し続けていただくようお願いしたいと思います。小さなグループに分かれて議題を話し合うことはしないでください。意見はグループ全体で共有し、アジェンダに沿っていただくようお願いします。ご理解感謝いたします。もしご質問や明確にすべき点がなければ、アジェンダの最初の議題に移りたいと思います。)

Example 5 — Management Meeting–Facilitated by a Business Consultant
経営に関するミーティング──コンサルタントによるファシリテーション

- Good morning gentlemen and thank you for attending this meeting. The purpose of this meeting is to discuss the future business needs and growth of your organization.
Now as I am sure you all know, last year your organization made a net profit of one billion yen. However, it is important to recognize that you operate in a very competitive and dynamic market where fortunes change quickly and dramatically. The only way this level of profitability can be sustained is by staying ahead of the competition. So I hope that by the end of this meeting we can all agree on an appropriate strategy and business plan that will enable your organization to stay ahead of the competition and maintain or increase your current level of profitability. Your recommendations will be presented to the Board of Directors at the end of this month. Does anyone have questions or would anyone like to clarify the purpose of this meeting? OK. Before we start, I'd like to make two requests. First I would like to ask everyone to switch off their mobile phones. And secondly, please do not break into small groups or have private discussions during this meeting. Thank you for your understanding.
I would like to start by asking the Sales and Marketing team to present their proposals.

(おはようございます、皆様。また、このミーティングにご参加いただきありがとうございます。このミーティングの目的は、貴社における、今後のビジネスの必要性と成長について話し合うことです。
さて皆様ご存じだと思いますが、昨年、貴社は10億円の純利益をあげました。しかし、貴社がビジネスを展開しているのは、風向きの変化が急速で激しい、大変競合的で流動的な市場であることを認識することが大切です。このレベルの利益を維持していく唯一の方法は、競合他社の先頭に立ち続けることです。そこでこのミーティングの終わりまでに、貴社を競合

他社の先頭に立たせ続け、現在のレベルの利益を維持または向上させるための適切な戦略とビジネス計画について、全員が同意していただけることを希望いたします。皆様の提案は今月末の取締役会で発表されます。質問したい方や、このミーティングの目的を明確にしたい方はいらっしゃいますか。いらっしゃいませんね。では始める前に私から2つお願いがあります。1つめは、皆様の携帯電話のスイッチを切っていただきたいこと。2つめは、ミーティング中は途中で小さなグループに分かれたり、個人個人で会話をしたりはしないでいただきたいことです。ご理解感謝します。
まずは販売マーケティング・チームに提案を発表していただきたいと思います。)

Proceeding
ミーティングの進行

◆Proceeding
ミーティングを進行させる

　ミーティングでは、ファシリテーターとしての権限を強硬に主張する必要はありません。冒頭からミーティングをコントロールするためには、明確な**指示**とルールを示します。しかし、ミーティングを進行させる前に、ミーティングの基本ルールに関して、参加者から承認を得ておくことを忘れないでください。ミーティングの基本ルールとは、ミーティングはどのように進められるのか、参加者とファシリテーターにはどんな権利と責任があるのか、といったことです。ミーティングの冒頭でこれらを明確にしておくことで、その後の無駄な討論と、時間の浪費を避けることができます。

　ミーティングを効果的にファシリテートするためには、「アクティブ・リスニング・スキル」と「アサーティブ・コミュニケーション・スキル」が欠かせません。すなわち、相手の話を注意深く聞き、自分の気持ちや感情を、相手の気持ちを尊重しながら、率直かつ誠実に伝えるということです。アクティブ・リスニング・スキルとアサーティブ・コミュニケーション・スキルに関する表現例は、Section2で詳しくご説明します。

　グループに共通の理解を促すために、ミーティングの**要約**を適宜行います。ミーティングを**議題**に**集中**させ続けることは大変なことです。しかしこれは、グループが課題を達成するために、ファシリテーターが必ずしなければならないことです。

　ファシリテーターはグループに強い影響を与えることを忘れないでください。この影響力を乱用したり、悪用したりしないよう、十分注意しながら**参加を促す**ようにします。以下にそれぞれのポイントを詳しく見ていきます。

Instructions　指示

　ミーティングをコントロールしやすいように、参加者にシンプルで明確な指示を出します。

🎧16 例

- Turn off mobile phones to avoid disruptions.
  （ミーティングの妨げにならないように、携帯電話の電源を切ってください。）

- Raise hands before interrupting or when asking questions.
  （人の話を中断する前や、質問があるときは挙手をしてください。）

- Don't interrupt another person while they are speaking. <u>Except for:</u>
  - point of clarification–asking the speaker to clarify what they said
  - point of process–keeping the meeting focused on the agenda

  （他の人が話している最中に話の腰を折らないでください。例外は、
  ・内容について指摘するとき——発言者に発言の内容を明確にしてもらうようお願いするとき
  ・プロセスについて指摘するとき——ミーティングをアジェンダに集中させ続けるとき）

- Stay on subject; don't add new issues to the agenda or wander off the topic.

  （議題に沿いましょう。アジェンダに新しい議題を加えたり、横道にそれたりしないようにしましょう。）

- Be respectful and polite. Varying points of view will be welcomed and respected.

  （敬意を持ち、礼儀を重んじましょう。様々な角度からの意見は歓迎され尊重されます。）

Summarizing　要約

　参加者の意見と感情を取りまとめ、話し合われた重要な項目を要約することは、ミーティングをコントロールし、グループをまとめることにつながります。それによって、参加者は自分の意見や感情がグループに理解されていると思えるのです。要約はまた、誤解を避け、グループが議題に集中し続けられることにもつながります。そのためには、ファシリテーターは話し手の発言を十分注意して聞くだけでなく、ほかに話したい参加者がいるかどうかにも目を配らなくてはなりません。これは、**アウェアネス・リスニング**と呼ばれるものです。ファシリテーターの視線（アイコンタクト）はただ話し手に向けられているだけではいけません。他の参加者の反応やニーズ、ミーティングの雰囲気にも注意を向ける必要があります。いつ発言に割って入ったらよいか、いつ場の雰囲気を静めたらよいか、いつ休憩を入れたらよいか、といったことも注意深く見ておかなければなりません。

⑰ 例

- Before moving on to the next item, I'd like to summarize our discussion so far.

  （次の議題に移る前に、これまで話し合ったことを要約したいと思います。）

- Before moving on to the next item, I would like to summarize where we agree so far.

  （次の議題に移る前に、これまで合意した点を要約しておきましょう。）

- Perhaps we should take a short break before moving on to the next item. Please reconvene in ten minutes.

  （次の議題に移る前に、少し休憩をとった方がよいかもしれませんね。10分後に再び集合してください。）

- I would like to summarize what we have discussed and the results we have achieved.
  （これまで話し合ったことと、決定に至ったことを要約したいと思います。）

Focusing　議題への集中

参加者を議題に集中させるためには、以下の3点が重要です。

第1に、アジェンダは現実的なものにしてください。話し合う必要のある大事な議題や、議論が長引くと予想される議題には、十分な時間を配分してください。

第2に、議論の最中は、ミーティングを大事な議題に集中させてください。もしミーティングの方向がずれてきていると感じたら、ミーティングの目的を再確認し、話し合いを重要な議題に引き戻すようにします。時間がなくなりそうだったら、話し合った大事なポイントを要約し、今話し合っている議題についての結論を出してもらうよう提案します。

第3に、アジェンダが信頼でき、課題を達成する手助けとなるものだと、参加者に信じさせるようにしてください。そのためには、参加者の関心や心配事を事前に聞き出しておき、アジェンダに組み込むようにします。その後アジェンダを配布したときに、アジェンダの構成や内容に同意できるか、参加者に尋ねます。この場合は、参加者がミーティングの目的について、あらかじめ合意していることが前提となります。アジェンダを配布した際に、参加者から重要な事項が新たに提案されたときは、何か新しい事項を話し合うのには時間の制約があるため、その事項を次回のミーティングのアジェンダに盛り込むなどの、アジェンダの調整が必要であることを伝えます。

参加者の中には、自分がかかわりたくないような議題が提案されたら、同意できないのでその時点では取り上げるべきではないと考える人もいます。

ファシリテーターとしての責任は、個々の参加者に対してではなく、グループ全体に対してのものであることを忘れないようにしましょう。自分が作成したアジェンダに固執してはいけませんが、一人の提案だけですべてを変えるようなことがあってもいけません。最初にグループに尋ねてみましょう。

🔘18 例

- I think we are getting off track. Let's stick to the agenda.
  （本筋から外れているように思います。アジェンダ通りに進めましょう。）

- I'm sorry to interrupt, but I don't think we are keeping to the purpose of the

meeting.
（お話の途中にすみませんが、ミーティングの目的に沿っていないように思えます。）

- I think that is a good point, however, it is different from today's subject.
（それはよい意見だとは思いますが、今日の議題とは異なっています。）

- John, our task is to improve productivity. Does the system software have something to do with or directly influence productivity?
（ジョン、我々の課題は生産性を上げることです。そのシステムソフトウェアは、生産性に何かしら関係があるのですか、それとも直接的に影響するのですか。）

Encouraging　参加を促す

　ミーティングでは、ファシリテーター本人が、グループの中で最も地位の高い人物であることがあるかもしれません。その場合、ファシリテーターの見解や意見は、重要視されるようになります。しかし一方で、これは簡単に悪用や誤用につながりますので注意が必要です。グループは、ファシリテーターのアイデアの長所や短所を、十分に議論しないで合意したり支持したりしてしまいがちです。グループに意味のある議論をさせるようにし、ファシリテーター自ら「～をしなさい」、「～すべきです」というようなことを言ってはいけません。

　また、参加者の意見を直接批判してはいけません。参加者を落胆させたり、簡単にミーティングの雰囲気を損なったりしてしまいます。

避けるべき表現

- I think we should cut Production staff to reduce overhead.
（諸経費を削減するために、製造スタッフを減らすべきだと思います。）

- I believe that the best advertising strategy is the Internet marketing.
（最良の広告戦略は、インターネット・マーケティングだと思う。）

- No way, Gary. That's a ridiculous idea. Have you really thought about it?
（何を言ってるんだ、ゲーリー。それはばかげた考えだよ。本当によく考えたのかね。）

- You cannot be serious! You know the budget situation. That idea will never work.
（冗談じゃないよ。予算状況は知っているだろう。そんな案は通用しないよ。）

ふさわしい表現

- David, did you want to make a comment regarding John's proposal?
（デービッドさん、ジョンさんの提案について何かコメントをしたかったのですか。）

- What options can we consider to reduce our overhead?
  （諸経費を削減するために、どんなオプションが考えられるでしょうか。）
- Does anybody have any ideas to solve this problem?
  （どなたか、この問題を解決するためのアイデアをお持ちですか。）
- Please feel free to express your ideas and opinions.
  （どうぞ自由にアイデアや意見を述べてください。）
- You're right, John, we do need more system engineers. However, the directive from the president is very clear, no more hiring until next year. Let's try to come up with some ways to help your department without hiring new staff.
  （そうですねジョンさん、確かに我々にはシステムエンジニアがもっと必要です。しかし、社長からの指令は非常にはっきりしていて、来年まではこれ以上雇わないということです。新たにスタッフを雇わずに、貴部門を支援できる方法を考えてみましょう。）

◆Graphic Tools
グラフィック・ツール

ファシリテーターがぜひ心がけたいのが、グラフィック（図解）を使ったコミュニケーションです。話し言葉は消えてなくなる上に、人それぞれの解釈が異なる可能性も大きいのです。一方、グラフィックによるコミュニケーションは、図を介して話し合う（議論を視角化する）ことで、ミーティングの参加者の脳を刺激し、興味・関心を持たせます。そして、想像力や創造力を刺激し、議論を活性化させます。ファシリテーターは、議論をグラフィックに変換して記録するツールと、それを使いこなすノウハウを身に付けるようにしましょう。そのためには、まずそれぞれのグラフィック・ツールの特徴と使い方をしっかりと理解する必要があります。

ここでは、すべてのグラフィック・ツールを習得することではなく、その有用性を知ることが目的ですので、基本的なものだけを取り上げます。

●ツリー型（議論の重複や漏れをなくす）

ファシリテーターは議論を進行する上で、常に**MECE**（ミッシー）に留意しておく必要があります。MECEとは、"Mutually Exclusive, Collectively Exhaustive"の略で、「それぞれが重複することなく、全体として漏れがない」ことを意味します。検討範囲に重複（だぶり）があると、無駄な議論をすることになります。また漏れがあると、重要なことを見落とすかもしれません。MECEに基づいて議論を整理することで、論理的で効率的なミーティングが可能になります。そのために役

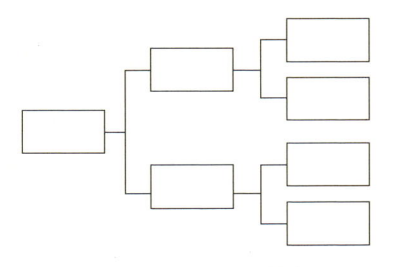

図5　ロジックツリーの基本パターン 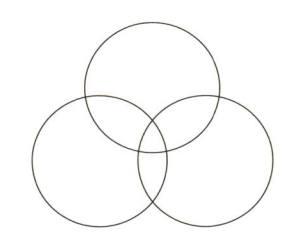　　図6　円交差図の基本パターン

立つのが、ツリー型のグラフィックです。
　ツリー型の代表的なものが「ロジックツリー」（図5）です。ロジックツリーとは、事象をロジックに基づいてツリー状に展開していくグラフィック・ツールで、結果に対してその原因を掘り下げていくときや、目的を実現するための手段を具体化していくときに使われます。
　ツリー型には、ロジックツリーのほかに、「意思決定ツリー」、「特性要因図」、「マインド・マップ」などがあります。「マインド・マップ」については多くの書籍やウェブサイト（http://mindmap.jp/ など）で詳しく紹介されていますので、そちらも参照してみてください。

●サークル型（重なりを表し、発想を広げる）
　サークル型は、意見が重なり合っていたり、複数の要因が入り交じっていたりする議論を整理するときに使われます。基本的なタイプとしては、「独立」（円が重ならない）、「交差」（円が重なる）、「包含」（大きい円の中に小さい円が含まれる）があります。サークル型は、相互の関係を明らかにしたり、発想を広げたりするときに有効です。
　サークル型には、「円交差図」（図6）、「集合図」、「親和図」などがあります。

●フロー型（流れを表す）
　フロー型は、原因と結果を表すときや、物事のプロセスを表すときに使われます。込み入った議論の筋道を立てて分かりやすくしたり、事象間のつながりを表現したりするのに有効です。
　フロー型には、「フローチャート」（次ページ図7）、「プロセスマップ」、「連関図」、「システム図」などがあります。

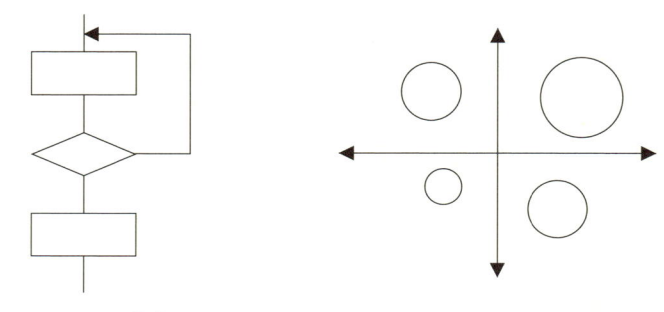

図7　フローチャートの基本パターン　　図8　ポジショニング・マップの基本パターン

●**マトリックス型（位置付けを表す）**
　マトリックス型は、議論を2つの論点から整理して、各論点の位置付けを明らかにするときに使われます。対立している論点を見抜き、それを軸にして議論の全体像を整理します。軸の設け方で議論をうまく整理できるかどうかが決まりますので、その軸を見抜く力が求められます。
　マトリックス型には、「ポジショニング・マップ」（図8）、「Tチャート」、「意思決定マトリックス」などがあります。

　以上に見てきたもののほかに、「グラフ」や「イラスト」などもグラフィック・ツールとして一般的に使われます。グラフィック・ツールに関する書籍はたくさん出版されているので、それぞれの特徴と使い方をしっかり習得し、必要に応じて自由に使えるようにしておきましょう。

◆Discussion Diagrams Skills
議論の図式化スキル
　前項では、議論に重複や漏れがないかを確認したり、込み入ってきた議論を整理し、参加者に議論の筋道を分かるように示したり、議論をさらに深めたりするためのツールとして、グラフィック・ツールの4つの基本パターンを取り上げました。ファシリテーターは、それらのグラフィック・ツールを使いこなせるようになりたいものです。
　さて、それらのグラフィック・ツールの習得と並行して、ファシリテーターが磨かなければならないスキルのひとつが、「議論を図式化するスキル」です。これは、ミーティングの場で交わされる議論をリアルタイムで視覚的に表すためのスキルで、言うなれば口頭コミュニケーションで消え去る情報を文字や絵でストックするための

スキルです。特に、英語で行うミーティングでは、情報を目で確認できることは安心感を得ることにつながります。また、視覚情報に変換することで、それを介したコミュニケーションが図れるようになるため、議論のポイントに焦点が当てやすくなるとともに、参加者間の誤解を軽減することができます。

ミーティングではホワイトボードを使うのが手軽ですが、可能であればフリップ（スタンド付）や模造紙を使い、議論を描いたものを壁に張り出すことで、議論の流れや全体像を確認しながらミーティングを進めることができます。その他マーカーペン（4～5色）やポストイットも必需品です。

議論を図式化する基本的なやり方は、図9に示す通りシンプルな流れです。

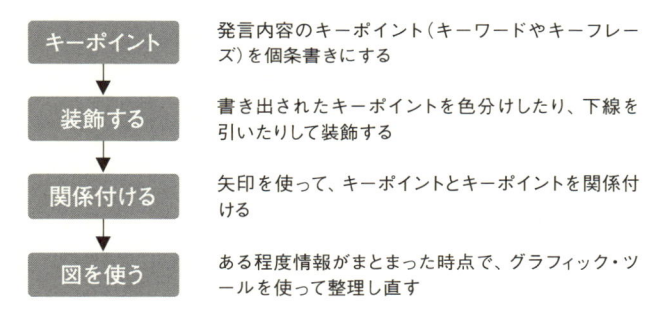

キーポイント	発言内容のキーポイント（キーワードやキーフレーズ）を個条書きにする
装飾する	書き出されたキーポイントを色分けしたり、下線を引いたりして装飾する
関係付ける	矢印を使って、キーポイントとキーポイントを関係付ける
図を使う	ある程度情報がまとまった時点で、グラフィック・ツールを使って整理し直す

図9　議論の図式化方法

「装飾する」や「関係付ける」ステップでは、いろいろな囲み、吹き出し、矢印などを使うことが可能です。あるファシリテーションの専門家は図10のような「矢印のルール」を活用しているようです。

原因と結果	対立	双方向	強い関連
→	↔	⇄	➡
緩い関連	間接的な関連	分岐	循環
⋯→	～→	＜	↻

図10　矢印のルール（堀公俊『問題解決ファシリテーター』より）

自分なりに使える装飾を工夫しましょう。図11はあくまでサンプルです。

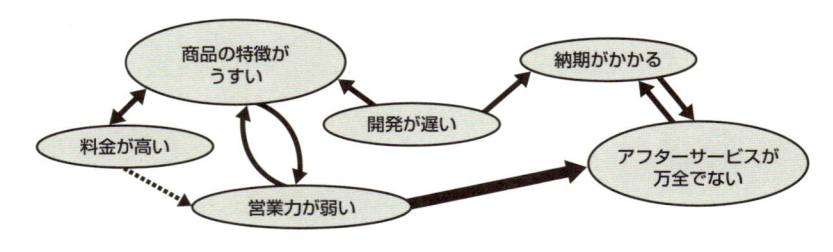

図11　矢印の活用例

◆Conflict Management Skills
対立管理スキル

　人が集まってミーティングを開き、問題解決やプロジェクトのために議論して意思決定しようとするときには、対立や摩擦が起きがちです。ましてや、価値観のギャップが大きい異文化コミュニケーションの場では、対立や摩擦がより大きくなりかねません。ファシリテーターは、その対立や摩擦を適切に処理しなければなりません。その処理の仕方を誤ると、ミーティングの所期の目的を達成できないばかりか、ときには参加者間の信頼関係、そしてファシリテーターと参加者との間の信頼関係さえ大きく損ないかねません。

　対立の代表的なモデルに、J.Z. Rubinの「二重関心モデル」があります。このモデルは、図12にある通り、縦軸は「自分への配慮」、横軸は「相手への配慮」を示しています。

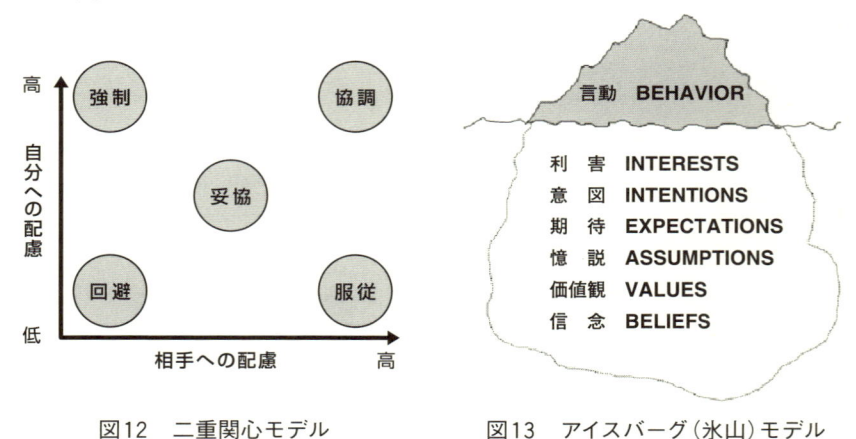

図12　二重関心モデル　　　　　図13　アイスバーグ（氷山）モデル

「回避」は、対立に面したとき、対立を避けるために話し合いを避けたり、ときには対立があること自体を認めなかったりする態度のことです。
　「強制」は、対立を勝ちか負けかで捉え、自分が勝者になるという目的のために、相手への配慮が欠ける態度のことです。
　「服従」は、その反対に、相手の腕力や脅しに負けて、不本意ながら相手に屈してしまう態度のことです。
　「妥協」は、自分と相手の関係を配慮して、「五分五分」なところを見いだそうとする態度のことです。
　「協調」は、対立を適切に処理することを目指し、当事者双方が満足する「ウィン・ウィン[※1]」な解決を求める態度のことです。

　この「二重関心モデル」を通して、先に述べた日本人の自己の捉え方と人間関係の特性を見てみると、日本人の対立への対処方法には、「回避」、「服従」、「妥協」の傾向があると言えそうです。そもそも日本人は対立という概念が希薄と言われ、対立に代わる言葉として「摩擦」や「揉め事」という言い方が伝統的に使われてきました。それらは、人間関係や日常の秩序の安定を損なう「混乱状況」と捉えられています。そしてその「摩擦」や「揉め事」に対処する方法として、専門家や上司に相談を仰ぎ、意見をうかがうというのが一般的で、古くから言われてきている「お上の裁き」(大岡越前の裁きがそのよい例)のメンタリティは現在も生き続けているようです。
　しかし、グローバル化が急速に進展する今日では、「話し合い」に基づいて対立を処理するために、立場や視点が異なる相手と、いかにして「協調的」なコミュニケーションをとるかについて、深く考えていく必要があります。
　対立がもたらすものは、必ずしもネガティブなものだけではありません。対立は新しい視点と緊張感をもたらしてくれます。対立を解消しようと、いろいろな角度から考えが出され、幅広いオプションが検討されます。ミーティングにおいて、ファシリテーターは議論の中で起きる対立をポジティブに捉え、課題やプロジェクトの目的を達成するように働きかけなければなりません。
　対立を適切に処理するためには、対立が生まれるメカニズムを理解する必要があります。対人コミュニケーションを説明するために、「アイスバーグ(氷山)モデル」というものがよく使われます。図13の「アイスバーグ(氷山)モデル」において、水面から上は、言語・非言語で交わされる「言動」、つまり「見聞きできる」部分を表します。対して水面から下は、「相手の心の中にあるもの」、つまり「見聞きできない」部

分を表します。その中には、「利害」、「意図」、「期待」、「憶説」(何の根拠もなしに当然と思っていること)から、より見えにくい「価値観」や「信念」までがあり、それらはほとんど意識されることなく、水面上の「言動」に影響を及ぼしています。

コミュニケーション上で対立が生まれるのは、実はこの水面下の部分のぶつかり合いからなのです。私たちは、普段お互いの水面下にあるものを意識しないでコミュニケーションをとっていますが、対立を適切に処理しなければならないファシリテーターは、まずそのことに留意しなければなりません。議論の途中や意思決定の場面で対立が起きた場合、対立の背景(水面下)で生じている「違い」を明確にして、その「違い」を相互に尊重し合うよう働きかける必要があります。そのためには、ファシリテーター自身が、発言している人の水面下にある「利害」、「意図」、「期待」、「憶説」、さらにはその人の「価値観」や「信念」を正確にキャッチできる感性を持っていることが求められます。

ミーティングの参加者間で起きる対立を処理するために、ファシリテーターが水面下にあるお互いの「利害」、「意図」、「期待」、「憶説」を共感的に理解することができたら、いよいよ対立の解消に向けての話し合いになります。その話し合いを「協調的」なものにするためには、次の点に留意しましょう。

- ■お互いが問題解決に取り組む協力者であると考える
- ■できるだけ多くの情報を共有し合う
- ■相手のためになるアイデアを提案する
- ■自分の持っている資料や情報が、相手のためにどのように有効に使えるかを考える
- ■相手の感情に配慮するとともに、自分の感情にも配慮する
- ■説得と譲歩の繰り返しにならないようにする

ファシリテーターは、このようなことが実現できる場づくりをしなければなりません。ただし、対立が起きたあとにこのような意識を参加者に持たせようとしても容易ではありませんので、ミーティングの早い段階で、ミーティングのルールの中に、上記の点を含ませておくことをお勧めします。

[*1] ウィン・ウィンとは、直訳すると「共に勝利する」という意味で、達成したいことや解決したいことが一方のみの満足で終わるのではなく、双方が満足する結果や合意を得る、という考え方です。

Tips for Effective Facilitation
効果的なファシリテーションのためのヒント

▶ ミーティングの計画段階からかかわり、目的やアジェンダの作成などの手助けをしましょう。

▶ 全体像をよくつかんでおきます。つまり、なぜその目的を達成しなければならないのか、なぜその決定が大切なのか、といったことです。ミーティングの目的が参加者に明確に理解されているのであれば、ミーティングの流れに柔軟性を持たせてもよいでしょう。もしミーティングが行き詰まってしまったら、すでに話し合った議題まで戻ることも一案です。ミーティングの前に鍵となる参加者に会っておくことが、ときとして有益な場合があります。

▶ 参加者を名前で呼ぶために、参加者名を入手しておきます。ミーティングの冒頭に席順を作成したり、名札を付けてもらったりするとよいでしょう。参加者の名前を書いたカンニングペーパーを用意している場合は、その旨を知らせておくことが必要かもしれません。

▶ 挙手をした順番に指名します。また、誰かを指名したときは、指名されなかった人の挙手順をリストに控えておくようにします。こうすることで、指名されなかった人も発言者に注意が向けられるようになります。

▶ アイコンタクトは、様々な理由で大切です。まず、ファシリテーターと参加者の信頼関係を促進します。また、参加者の表情に目を配ることにより、誰が動揺していて、誰が混乱し不快であるのか、誰が発言したいと思っているのかを知ることができます。

▶ 参加者に承認されたミーティングの基本ルールを、できる限り早く適用しましょう。例えば、参加者の話が議題から外れてしまった場合は、失礼のないよう丁寧に中断し、アジェンダとどう関連するのか尋ねてみましょう。もし関連していない場合は、ミーティングのどの部分でその話を取り上げるかを伝えましょう。早いタイミングでミーティングの基本ルールを適用することで、参加者はファシリテーターが真剣であることを理解します。

▶ 決定のための十分な話し合いとプロセスができたら、グループに提案を出させます。話し合われたことを要約してグループ全体の意見をまとめた提案を出し、それについて話し合ってもらうか、あるいは、挙手の順ではなく、直接グループ内の誰かを指名して、提案を出してもらうよう依頼してもよいでしょう。その際、"It seems that what I hear everyone saying is...."（皆さんがおっしゃっているのは〜ということのようです。）や、"A rough consensus might be...."（おおまかな合意としては〜のようです。）といった表現を使うとよいでしょう。行き詰まってしまった場合は、遠慮をせずいつでもグループに意見を求めるようにしましょう。提案について議論になったら、誰がこの提案に強く反対しているかを尋ね、その意見を聞き出します。そして強い反対意見が出てきたら、こうした問題を解決する提案を持っている人はいないか尋ねます。

Concluding
ミーティングの結び

　ミーティングをどうまとめるかは、参加者が決定事項をどう捉え、彼らがとるべき行動をどのようにフォローするか、といったことに強い影響を与えます。ミーティングを結ぶときは以下の場合です。
- ■アジェンダがすべてカバーされたとき。課題が達成されたとき
- ■時間がなくなったとき。予定していた終了時間になったとき
- ■続けていくための資料・情報が底をついたとき。続けていくために、特別なスキルや知識を持った人が必要になったとき

　グループの努力を共に積極的にたたえ合い、これでお開きという思いを抱かせるような建設的な方法でミーティングを終えるようにしましょう。最後は全員が順番に、ミーティングの内容と決定事項について、感じたことを表明し、共有します。つまり全員が最後にもう一度話す機会を与えられることになるわけです。人は口頭、あるいは文書で確約をしたときは、それらに従い、決定を履行しようとするものです。
　効果的な終わり方は、以下の3つのパートから成ります。
- ■告知：最後の一言と、決定および行動についての確認
- ■要約：決定事項と各人に課せられた行動の要約
- ■謝辞：グループとゲストへの、ミーティングの参加に対するお礼

◆**Warning**
告知

　予定されたミーティング時間がもうすぐ終了するという告知は、グループにミーティングをまとめる時間を与え、各人に最後の一言を述べる機会を与えることにつながります。各人が順番にミーティングや決定事項に関する思いや感情を伝え、共有するために、10分ほどの時間が必要になるでしょう。全員にもう一度発言する機会を与えます。ミーティング中ずっと沈黙していた人にとって、この機会こそ彼らの意見や心配などを説明できるチャンスとなるのです。またファシリテーターはこの機会を利用して、ミーティング中の各人の発言を確認することもできます。

例

- We have about ten minutes left before we must conclude this meeting. Before we finish, I would like to hear each participant's view on the pro-

posed relocation of the production facilities. Bob, how do you feel?
(あと10分ほどでミーティングを締めくくらなければなりません。その前に、生産施設を移転するという提案について、各人の意見を聞きたいと思います。ボブさん、あなたはどう思いますか。)

- Unfortunately we are out of time. Therefore, I would like to conclude the meeting by confirming the decisions we made today and the issues that need to be discussed at our next meeting.
(残念ですが時間がありません。そこで、本日決定されたことと、次回のミーティングで話し合わなければならない項目について確認をし、ミーティングを締めくくりたいと思います。)

- It is almost time to finish this meeting. So I'd like to wrap-up by summarizing the decisions we have made and the actions assigned to each member.
(そろそろミーティングを終える時間になりました。そこで、決定されたことと各メンバーに課せられた行動をまとめて、締めくくりたいと思います。)

◆Summarizing
要約

参加者全員が決定事項ととるべき行動を理解し、ミスコミュニケーション（miscommunication；誤解、真意の見落としや取り違え）を極力避ける上で、要約はミーティングの結びの中でも特に大切です。欧米式ミーティングでは、行動は部門やグループに対してではなく、個人に課せられることを覚えておいてください。グループが下したと思われる決定事項、および各人に課せられた責任について、要約する時間をとるようにします。

例

- It looks like we have completed everything on the agenda. The key decisions we made today are.... Does everybody agree with my summary and understand the actions assigned to them?
(アジェンダの議題をすべてカバーしたと思います。本日の主な決定次項は～です。皆さん、このまとめでよろしいですか。また自分たちに課せられた行動は理解できましたか。)

- It looks like we have completed all the items on the agenda. Let me conclude the meeting by summarizing our discussion. Regarding item one, we agreed that....
(アジェンダの議題をすべてカバーしたようです。話し合ったことのまとめをしてミーティングを終えたいと思います。最初の議題では、～ということに合意しました。)

- I'd like to conclude this meeting by summarizing my understanding of the decisions made and the actions assigned to each participant.
(決定事項と、各参加者に課せられた行動について私の理解をまとめて、このミーティングを締めくくりたいと思います。)

◆Acknowledging
謝辞

グループの作業に対して、礼儀正しいマナーで感謝の言葉を述べましょう。これはファシリテーターが心から感謝していることを表すと同時に、参加者によりよい成果を促すことにもつながります。グループ全体に対してだけでなく、特別な貢献をした参加者個人や、招聘（しょうへい）したゲストにも謝辞を述べる必要があるでしょう。

例 (CD TRACK 22)

- Finally, I would like to thank you all for your support and cooperation during this meeting. I appreciate the respect and the positive attitude that everybody demonstrated throughout this meeting.
（最後に、ミーティングを通しての皆さんのご協力に感謝します。ミーティングにおいて皆さんが示された敬意と積極的態度に感謝いたします。）

- Thank you for participating in this meeting. I appreciate that you are all busy and your time is valuable. I look forward to reviewing the implementation of our work. Good luck with your assignments.
（ミーティングに参加していただきありがとうございました。またお忙しい中、貴重な時間を割いていただいたことに感謝します。作業の実行を振り返ることを楽しみにしています。それぞれの課題にがんばって取り組んでください。）

- Let me finish by thanking you all for your participation in this meeting and wishing you the best of luck with your assignments. I believe that you have made a good decision and the project will be very successful.
（このミーティングへの皆さんの参加を感謝し、また皆さんの課題がうまくいくことを祈って終わりたいと思います。よい決定ができたこと、そしてプロジェクトが成功することを信じております。）

- Before we finish I would like to say a special thank you to our guest from Kadota Consulting. We really appreciate your help and advice, and look forward to seeing you again at the review meeting.
（ミーティングを終える前に、カドタコンサルティングからお越しいただいたゲストに深く感謝を申し上げたいと思います。ご協力とアドバイスに心から感謝し、振り返りミーティング[*1]で再度お会いできることを楽しみにしております。）

　　　[*1] 振り返りミーティングについては、115ページを参照してください。

以下にミーティングの結びの要素を盛り込んだサンプルを挙げます。

<ミーティングの結びのサンプル>

Example 1　One-on-One Meeting　1対1ミーティング

- Thank you for understanding the situation, Paul. Let me just confirm our discussion. I will call Tanaka-san to make an appointment for the three of us to meet as soon as possible. Is next Thursday OK for you?

Before the meeting, you will review the training seminar to see if you can figure out Tanaka-san's concerns, and how we could improve the seminar. I will prepare to present the concept and methodology of the seminar to Tanaka-san, so that there is no misunderstanding regarding the target or objective of the seminar. Is that OK?

（事情を分かってくれてありがとう、ポール。では、話し合ったことを確認させてください。できるだけ早く私から田中さんに電話をして、3人で会うためのアポをとる、ということですね。来週の木曜日は大丈夫ですか。
会う前に、トレーニング・セミナーを振り返って、田中さんの不満は何なのか、セミナーをどのように改善できるのかを考えてみてください。私の方は田中さんにセミナーのコンセプトと方法論を伝えるように準備しますので、ねらいや目的に関しては誤解がなくなるでしょう。それでいいですか。）

Example 2　Internal Decision-Making Meeting
社内での意思決定ミーティング

- **Warning**

We have about ten minutes left before we must conclude this meeting. Before we finish, I would like to hear each participant's view on the proposed relocation of the production facilities. Bob, how do you feel?

（あと10分ほどでミーティングを締めくくらなければなりません。その前に、生産施設を移転するという提案について、各人の意見を聞きたいと思います。ボブさん、あなたはどう思いますか。）

- **Summarizing**

Thank you all for sharing your views. Let me summarize the key decisions we made today. First we have decided to relocate the engineering and production facilities to Kawasaki from the 1st of September. As plant manager, Akira will take the responsibility for the logistics. Secondly we decided to locate the Sales and Administration support staff in the center of Tokyo. Toshi will take responsibility for finding an appropriate office in a good location, ideally close to Shinagawa. Does everybody agree with my summary and understand the actions assigned to them?

（意見の共有ありがとうございました。本日決定した重要事項を要約します。最初に、9月1日より技術・生産施設を川崎に移すことが決められました。アキラさんが工場長としてロジスティクスについての責任を負います。2番目に、販売・管理のサポート・スタッフを都心に置く

ことが決められました。トシさんが立地のよい適当なオフィスを探す責任を負います。できれば品川に近いのが理想的でしょう。皆さん、私のまとめでよろしいですか。また彼らに課せられた行動は理解できましたか。)

- **Acknowledging**

Let me finish by thanking you all for your participation in this meeting and wishing you the best of luck with your assignments. I believe that you have made a good decision and the new office locations will be very successful.

(皆さんの参加に感謝し、課題の成功をお祈りすることで、このミーティングを締めくくりたいと思います。皆さんの決定がよいものであり、移転先で仕事がうまくいくものと確信しております。)

Example 3　Negotiation Meeting　ネゴシエーション・ミーティング

- **Warning**

It looks like we have covered all the issues. Please allow me to summarize my understanding and clarify the decisions we made in our meeting today.

(すべての議題がカバーされたようです。私の理解をまとめ、本日のミーティングで決定されたことを明確にさせてください。)

- **Summarizing**

It seems that we both agree that the late delivery of the TV caused several problems, most notably the loss of business and reputation. In future, Kadota will make every effort to make sure this kind of problem doesn't happen again. To recover from the situation, we will write a letter of apology to your customers explaining the situation and apologizing for the inconvenience. To recover the lost sales, we may be able to have a joint marketing campaign, which will be a series of small exhibitions in hotels throughout major European cities. Kadota and Bonn will share the costs on a 50/50 basis. Is that right? Have I missed anything?

(テレビの配送が遅れたことで、いくつかの問題が引き起こされ、とりわけビジネスと評判が失われた、ということに双方が合意したと思います。カドタは、将来再びこうした問題が起きないよう、あらゆる努力を惜しまないつもりです。この状況から立ち直るために、私どもから貴社のお客様におわびの手紙を書き、状況を説明し、ご迷惑をおかけしたことを謝罪する予定です。売上損失の回復には、ヨーロッパ中の主要都市にあるホテルで、小規模な展示会をシリーズで催していくという、合同マーケティング・キャンペーンを行うことができるでしょう。カドタとボンが、その費用を50パーセントずつ負担します。これでよろしいでしょうか。何か見落としていることがありますか。)

- **Acknowledging**

Thank you for your understanding and cooperation. I feel confident that we will succeed and achieve our mutual business goals and objectives.

(ご理解とご協力に感謝いたします。我々双方が成功し、お互いのビジネスのねらいと目的が達成されることを確信しています。)

Example 4 — Internal Problem-Solving Meeting
社内での問題解決ミーティング

● **Warning**

It looks like we have completed the agenda. So I would like to conclude this meeting by asking each person to briefly summarize their feelings about our meeting and the decisions we made. John, could you start us off please?

(アジェンダのすべてがカバーされたようです。では、ミーティングの内容と決定事項について各人に簡単な感想を述べてもらい、このミーティングを終えたいと思います。ではジョンさんからお願いします。)

● **Summarizing**

Thank you for sharing your points of view. In summary, it seems that we are all in favor of using a bar code tracking system to help us monitor and control the production inventory more closely. Specifically there will be four bar code reading stations that will track inventory through each production stage. So, John, you will be responsible for purchasing the necessary equipment. David, you are responsible for setting-up the reading stations and procedures. And Tom, you will be responsible for training the production staff to use the equipment. Is that right, have I covered all the details?

(意見の共有ありがとうございました。まとめますと、製品の在庫監視と管理をより厳密に行いやすくするための、バーコードを使った追跡システムの利用に全員が賛成しているかと思います。具体的には、各製造段階での在庫を追跡するバーコード読み取り装置を、4つ設置します。そこで、ジョンさんには必要な機器の購入にあたっていただきます。デービッドさんには、読み取り装置の設置と段取りにあたってもらいます。そしてトムさん、あなたには製造スタッフが装置を使えるようにトレーニングを行ってもらうことになりました。これでいいですか、すべてカバーしていますか。)

● **Acknowledging**

Thank you all for participating in this meeting. I appreciate that you are all busy and your time is valuable. I look forward to reviewing the inventory levels after the installation of the bar code reading stations. Good luck with your assignments.

(ミーティングに参加いただきありがとうございました。皆さんご多忙の中、貴重なお時間を割いていただき、ありがとうございました。バーコード読み取り装置の設置後の在庫レベルを見るのが楽しみです。それぞれの課題がんばってください。)

Example 5　Formal Decision-Making Meeting　公式な意思決定ミーティング

- **Warning**

Unfortunately gentlemen it looks like we are out of time. I would like to conclude this meeting by confirming the decisions we made today and the issues that need to be discussed at our next meeting.

（皆さん、残念ですがもう時間がありません。そこで、今日決まったことと、次回のミーティングで話し合わなければならないことを確認して、ミーティングを締めくくりたいと思います。）

- **Summarizing**

It seems that everybody is in favor of establishing a wholly owned subsidiary in the United States, and that Los Angeles would be the most favorable location. However, we could not come to a conclusion on some important specific details. In particular, we have not yet concluded the size and scope of operations. It seems that we need a more detailed market analysis before concluding these issues. Before the next meeting Mr. Fairbanks will initiate an appropriate market research study, and distribute the research results and recommendations one week before our next meeting. Mr. Rogers will be responsible for communicating our decision to open a wholly owned subsidiary to all employees and the press. Is that right? Have I covered all the key points?

（米国に完全子会社を設立することについては全員が賛成のようです。最有力地はロサンゼルスとなっていますが、いくつかの重要な細目について、結論には至っていません。特に事業の規模と範囲がまだ決定されていません。これらの問題に結論を出す前に、より詳細な市場分析が必要であると考えられます。次回のミーティングまでにフェアバンクス氏が適切な市場調査を開始し、次回ミーティングの1週間前に調査の結果報告と提案を行います。ロジャース氏は、完全子会社の設立という我々の決定を、すべての従業員とマスコミに伝える責任を負います。これでよろしいですか。大事な点をすべてカバーしましたか。）

- **Acknowledging**

Before we finish, I would like to say a special thank you to our guest from the head office. We really appreciate your help and advice, and look forward to seeing you again at the next meeting.

（終了する前に、本社からのゲストに深く感謝を申し上げたいと思います。ご協力とアドバイスには本当に感謝しています。次回のミーティングで、再びお目にかかれることを楽しみにしております。）

以上をもってミーティングの終了となりますが、ミーティング終了後のファシリテーターの作業として、作成された議事録の確認と署名、各参加者への配布が挙げられます。また、次回ミーティングの準備も忘れずに行いましょう。

Section 2

Communication Skills for Facilitators and Participants

ファシリテーターと参加者のためのコミュニケーション・スキル

1　アクティブ・リスニング・スキル
2　質問力
3　アサーティブ・コミュニケーション・スキル
4　ロジカル・コミュニケーション・スキル

The Great Facilitator

英語で行われるビジネス・ミーティングに参加することは、落ち着かず、心配で、さらにはフラストレーションさえ感じることが多々あるでしょう。非英語圏の人にとっては、言語の壁が、効果的なミーティング参加の障害となることがしばしばあります。しかし、仮に英語力がかなりある人でも、効果的なコミュニケーションをとることに困難を感じ、フラストレーションにつながることがあるようです。言語能力はもちろん大切なスキルですが、自分のアイデアや意見を効果的に伝え、他の参加者のアイデアや意見をしっかりと理解するというのも大切なスキルです。それらは学習と練習を通して身に付けていかなければなりません。

　このセクションでは、ファシリテーターと参加者、双方に有益となる「アクティブ・リスニング・スキル」、「質問力」、「アサーティブ・コミュニケーション・スキル」および「ロジカル・コミュニケーション・スキル」という4つの効果的なコミュニケーション・スキルを紹介します。

1　Active Listening Skills
　　アクティブ・リスニング・スキル

　異文化コミュニケーションのみならず、対人コミュニケーションにおいても極めて重要なのがアクティブ・リスニング・スキルです。このアクティブ・リスニング・スキルは後述するアサーティブ・コミュニケーション・スキルと同様に、ファシリテーターと参加者には欠かせないスキルです。

　アクティブ・リスニングは、相互理解を促進するために、相手の話を聞いて応答するためのリスニング方法です。人は話し合いのとき、相手の言っていることを半分しか聞いていなかったり、またはほかのことを考えていて集中して聞いていなかったりすることがしばしばあります。ましてや、人は摩擦や対立状況にあるときには、お互いに反駁し合い、状況を説明しようとする相手の話を受け付けません。そうなるとお互いに防衛的になり、結果として、相手を非難するか、それ以上話をするのをやめてしまうといった状況に陥りがちです。しかし、自分の関心事や懸念していることに相手が耳を傾け、理解しようとしてくれていると感じたら、より詳しい事情を話そうとします。このような働きをさせるための考え方とテクニックが、アクティブ・リスニングなのです。すなわち、相手の言うことに十分に耳を傾け、相手の言っていることを自分の言葉で言い換えるといった応答の仕方のことです。これは、相手が何を言ったかを鏡に映し出すことであり、必ずしも相手の言うことに賛成す

ることを意味するわけではありません。しかし、そうすることで、相手は自分が本当に理解されているかを知ることができます。もしこちらが理解していないのが分かれば、相手はもう一度説明してくれるはずです。

アクティブ・リスニングには、次のような利点があります。第1に、相手の言うことを集中して聞けるようになること、第2に、相手の言うことが理解できないときに、質問して確認することで誤解を避けられること、第3に、理解されていると感じることで相手が心を開くため、より多くの話を引き出せることです。

ファシリテーターがアクティブ・リスニングをする際に気を付けなければならないことは、無意識のうちに自分の思う方向へ議論を誘導してしまうことです。ファシリテーターの立場は「中立」であることを忘れないようにしましょう。そのことも含めて、アクティブ・リスニングは大変に奥が深く、やさしいものではありませんし、一朝一夕で身に付くものでもありません。まして、英語でのアクティブ・リスニングとなると、さらに難しいのは当然です。日々のトレーニングを心がけましょう。

アクティブ・リスニング・スキルで最も大切なのは、**「明確にするために質問する」**、**「理解できない点を確認するために相手の話を中断する」**、**「自分が理解したことを言い換える」**という点です。

これらの表現例を見ていく前に、まずリスニングの悪い例とよい例（アクティブ・リスニングの例）を挙げますので、その違いをよくご覧ください。

つたないリスニングの例（同僚同士の会話）

A: How can you improve the training material?
（どのようにトレーニング教材を改善できますか。）

B: I don't think the material is the problem.
（教材には問題はないと思いますよ。）

A: We must be able to improve the material somehow?
（でもどうにかして教材は改善できるはずですよね。）

B: How?
（どうやってですか。）

A: I don't know.
（分かりません。）

アクティブ・リスニングの例

A: Can I ask how you feel the training material could be improved?
（どのようにトレーニング教材を改善できるか、あなたの考えをお聞きしたいのですが。）

B: The training materials are fine. I don't think that is the problem.
（教材の出来はよく、それが問題だとは思いません。）

A: So you think Tanaka-san's complaint is not related to the training materials. Is that right?
（では、田中さんの不満は教材に関してではないとお考えなのですね。間違いないですか。）

B: That's right. The material is well laid out, easy to follow and understand, and the new cross references to the support information in the appendix work really well.
（その通りです。教材はよく構成されていて、理解しやすく、付録のサポート情報に対する新しいクロス・リファレンスはとてもうまく機能しています。）

A: Yes, I agree the new material is pretty good and I also like the cross references. So can you think of any other reasons why Tanaka-san is concerned about the training?
（ええ、同感です。新しい教材はよくできていて、私もクロス・リファレンスを気に入っています。では、田中さんがトレーニングを不満に思っている理由についてほかに何か思い当たりますか。）

B: I am not sure. I mean he only attended the training seminar for about an hour in the afternoon.
（いいえ、分かりません。というのも、田中さんは午後の1時間ほどしかトレーニング・セミナーに参加しなかったのです。）

A: May I just confirm that? Tanaka-san only attended the seminar for one hour?
（確認させてください。田中さんは、セミナーには1時間しか参加しなかったのですね。）

B: Yes, that's right. Just for an hour or so on the second day.
（そうです。2日目の1時間かそこらです。）

A: I see. So may I ask which part of the seminar he observed?
（分かりました。では田中さんが参加したのは、セミナーのどの部分かお聞きしたいのですが。）

B: He observed the final lecture regarding the safety features and shutting down procedures.
（最後の、安全機能と終業手順に関するレクチャーのところです。）

> A: OK. Let me see if I understand the situation correctly. The only time Tanaka-san observed or participated in the seminar was on the second day in the afternoon for about one hour during the final safety features lecture. Is that right?
>
> (分かりました。状況を正しく理解できているか確認させてください。田中さんがセミナーに参加した時間は、2日目の午後の最後、安全機能に関するレクチャーの間の1時間ほどだけだったということですね。間違いないですか。)

　悪い例に比べよい例（アクティブ・リスニングの例）では、相手の言うことを繰り返し確認したり、質問したりして正確に理解しようとしている点がよくお分かりいただけると思います。
　では、アクティブ・リスニングのための有用表現を以下に見ていくことにしましょう。

＜アクティブ・リスニングのための有用表現＞
◆**Asking Questions for Clarification**
明確にするための質問
　ダイレクトな質問は避け、"Can I ask…?" や "May I ask…?"、"Could you explain…?" といったソフトな表現を使って、相手の言うことを明確にするようにします。

例

28　Asking for Repetition　繰り返してもらう

- Could you please repeat the last point again?
  （最後の点をもう一度お願いします。）

- Could you repeat what you said?
  （もう一度おっしゃってください。）

- I'm sorry, I didn't understand. Could you say that again, please?
  （すみません、分からなかったのでもう一度おっしゃっていただけますか。）

29　Clarifying Meanings　意味を明確にする

- Excuse me, what does it mean?
  （すみませんが、それはどういう意味ですか。）

- May I ask what it means?
  （それはどういった意味でしょうか。）

- How do you spell that?
  (どういうスペルですか。)

Getting More Details　詳細を求める

- Could you please explain that in further detail?
  (もっと詳しくご説明いただけますか。)

- May I ask the reasons why you see it that way?
  (どうしてそうお考えになるのかお聞きしたいのですが。)

- Excuse me, I had trouble understanding. Could you please clarify that point again?
  (すみません、理解しにくかったので、その点をもう一度明確にしていただけますか。)

- Could you give me more background information?
  (もっと背景情報をいただけませんか。)

◆Interrupting When You Don't Understand
理解のために中断する

　理解できない点があったり、理解したことを明確にしたりする場合のみ、相手の話を中断しましょう。反対のための中断は避けます。相手に反対するための中断は、相手の反論を誘引するだけでなく、こちらが相手の話を聞いていないということで、相手を怒らせてしまうことにもなりかねないからです。

例

- Excuse me, but could I ask a quick question?
  (すみません、ちょっとお聞きしたいのですが。)

- I'm sorry to interrupt, but I'm finding it difficult to understand. Could you speak more slowly?
  (お話し中すみませんが、理解しにくいので、もう少しゆっくりお話しいただけますか。)

- I'm sorry to interrupt, but I didn't understand. Could you say that again, please?
  (お話し中すみませんが、分からなかったので、もう一度おっしゃっていただけますか。)

- May I interrupt for a moment?
  (ちょっとよろしいですか。)

◆Confirming Your Understanding
自分の理解を確認する

日本的な「相づち」ではなく、自分自身の言葉に置き換えて、理解したことを確認するようにしましょう。

CD TRACK 32 例

- So the reason you need to change your order is.... Is that right?
  (では、貴社が注文をご変更なさらなければならない理由とは〜ですね。それで正しいですか。)

- So the service contract is based on 20% of the retail price. Did I understand that correctly?
  (では、サービス契約は小売価格の20パーセントに基づいているということですね。私は正しく理解していますか。)

- As I understand it, the reason you want to change the specification is because....
  (私の理解によると、仕様の変更を希望されるのは〜という理由からですね。)

- So this is important to us because....
  (ですから、〜という理由でこれは私どもにとって重要なのですね。)

- Have I understood this correctly? Are there any other issues we need to consider?
  (私はこの点を正しく理解できていますか。ほかに考慮すべき事項はありますか。)

◆Paraphrasing
言い換え

言い換えをすることで、あなたが相手の言うことをどう理解しているかが明確になるとともに、相手の言うことをよく聞いて理解しようとしていることが伝わります。また、このことは、相手にさらに話をさせ、ポイントを明確にし、より多くの情報を引き出すことにもつながります。これはアクティブ・リスニングのテクニックのうち、最も効果的なもののひとつです。

CD TRACK 33 例

- So what you are saying is.... Is that correct? Did I understand correctly?
  (そうしますと、おっしゃっていることは〜ですね。間違いないですか。私は正しく理解できていますか。)

- So you feel upset about having to work so much overtime because.... Is that right?
  (では、あなたが多くの時間外労働に不満を感じているのは〜だからですね。それで正しいですか。)

- May I restate your idea in my own words to see if I understood?
  （理解できているか確認するために、あなたのアイデアを私の言葉で言い直してもよろしいですか。）

- Let me confirm what you have just said.
  （今おっしゃったことを確認させてください。）

- So what you said is.... Is that right?
  （では、おっしゃったことは〜ですね。間違いないですか。）

- You had difficulty understanding because I didn't give a clear explanation of the project. Is that right?
  （プロジェクトに関する明確な説明を差し上げなかったので、理解しにくかったのですね。間違いないですか。）

- Let me confirm that I have understood your main points. You said....
  （あなたの主な論点を理解できているか確認させてください。あなたは〜とおっしゃったのですね。）

- If I understand correctly, the most important issue for you is....
  （正しく理解できているならば、あなたにとって最も大切なことは〜ですね。）

◆Clarifying Your Own Words
自分の説明を明確にする

相手が誤った理解をしていると感じたら、意見や考えを再度明確に伝え直しましょう。

CD TRACK 34　例

- Perhaps I didn't explain that clearly. Let me try again.
  （どうやら、それについては私の説明が明確ではなかったようですね。もう一度説明させてください。）

- Did I make myself clear?
  （はっきりとお伝えできましたか。）

- I'm not sure if I explained that clearly.
  （その点については明確なご説明になっていたかどうか、定かではありません。）

- Actually, what I meant to say was....
  （実際にお伝えしたかったことは〜です。）

◆Showing Empathy
共感を示す

相手がどう感じているかを認識し、理解することは、問題解決の上で欠くことのできない要素のひとつです。相手の感情をあなたが理解していることを伝えること

は、相手が自分が理解されていると感じ、リラックスすることにつながり、その結果双方がより効果的なコミュニケーションができるようになります。

例 (TRACK 35)

- I understand how you feel.
  （あなたがどうお感じになっているか分かります。）
- I can see that's a problem.
  （それが問題なのは分かります。）
- You must have been very surprised.
  （きっと、ひどく驚かれたことでしょう。）
- That must have been a problem for you.
  （それは貴社にとって問題であったことでしょう。）
- If I were you, I would feel that way too.
  （私があなたの立場であれば、きっと私も同じように感じるでしょう。）
- So you feel frustrated because the system is not working properly.
  （では、システムが正常に作動していないので、不満を感じていらっしゃるのですね。）

◆Summarizing
要約する

ときどき、お互いの理解を確認し誤解を避けるため、内容を要約しましょう。

例 (TRACK 36)

- I would like to summarize the points we have discussed so far.
  （これまでに話し合ったことを要約したいと思います。）
- Up to now, I think we have discussed two important ideas. As I understand it, they are, first...and second.... Is that right?
  （これまで2つの大事なアイデアが話し合われたと思います。私の理解によると、1つめが〜で、2つめが〜です。間違いないですか。）
- Let me briefly summarize my main points.
  （私の主な論点を簡潔に要約させてください。）

アクティブ・リスニングについてさらに詳しくお知りになりたい方は、本書の姉妹編『英語ネゴシエーションの基本スキル』(小社刊)をご覧ください。

2 Questioning Skills
質問力

　ファシリテーターにとって、アクティブ・リスニング・スキルと同様に欠かせないスキルが質問力です。
　ところが、日本人にとって「質問する」ことは苦手分野のひとつです。なぜ苦手なのでしょうか。日本人にとっての質問には、「問いただす」とか「問い詰める」というニュアンスが含まれており、欧米に見られる論理的な質問とは異なる意味があると指摘する専門家もいます。問いただされたり、問い詰められたりするのは、客観的事実を聞かれるのとは違い、攻撃されているという気持ちを起こさせやすいのです。質問することを躊躇するのは、相手にそのような気持ちを起こさせないように配慮し、無用な「摩擦」や「揉め事」を避けようとする日本人的な心の表れだと思います。このことは、研修の場で外国人とロールプレーをする日本人研修生の姿からもうかがえます。Follow-up Question（あとに続く質問）が不足し、ロールプレーヤーである外国人から「もっと質問で問題を掘り下げてください」というフィードバックが出されることも少なくないのです。

　ファシリテーターにとって不可欠な質問力とは、日本的な文脈ではなく、欧米的な文脈での質問力です。すなわち、客観的に話を深めるための質問力です。
　質問には大きく分けて2種類あります。Open-ended Question（対話的質問／開かれた質問）とClosed Question（限定的質問／閉じられた質問）です。
　Open-ended Questionは、話し手が自分の意見、立場を自由に答えられるような質問形式で、通常5W1Hの疑問詞を使って質問します。話し手に自由に発言してもらうので、発散系の（発想をふくらませる）質問といえます。また、アイスバーグ（氷山）モデル（50ページ）でいう水面下の目に見えない部分を引き出すために、この質問形式は極めて有効です。ファシリテーターには、ミーティングの参加者の表面的な議論を排し、本質に迫る議論や発想を促しながら結果を出すことが求められます。そのためには、Open-ended Questionを当意即妙に使いこなせるようにしましょう。
　一方、Closed Questionは、話し手から特定の返答を求めるときに使う質問形式です。いわゆる「イエス／ノー」を求める質問で、収束系の（発想を限定する）質問といえます。話を絞り込むときや、あいまいな発言を明確にするときに使われます。Open-ended Questionが話し手主導であるのに対して、この質問形式は聞き手主

導といえます。

　優れたファシリテーターになるためには、Open-ended QuestionとClosed Questionの両方をバランスよく使えるように、技術を向上させなければなりません。以下に様々な質問形式とその表現例を見ていきます。

例

Open-ended Questions　話し手が自由に答えを述べられるような質問形式

- What sort of...?
  （どういった種類の〜ですか。）
- Could you tell me about...?
  （〜について教えてください。）
- I'd be interested to know....
  （〜について知りたいのです。）

Examples:
- Could you tell me how many PCs you have in your office?
  （オフィスに何台パソコンがあるのか教えてください。）
- What sort of machines are they?
  （それらはどんな機種ですか。）

Closed Questions　「イエス／ノー」を求める質問形式

- Do you plan to...?
  （〜する予定はありますか。）
- Is there...?
  （〜はありますか。）
- Did you...?
  （〜しましたか。）
- Are you going to...?
  （〜するつもりですか。）

Examples:
- Are they connected?
  （それらは接続されていますか。）

- Do you have any plans to introduce a new system?
  (新しいシステムを導入する予定はありますか。)

　上記以外に、以下のような質問形式もありますので、状況に応じて使い分けるとよいでしょう。

例

Leading Questions　ある方向性を求めようとする質問形式

- Shouldn't we...?
  (私たちは～すべきではないのでしょうか。)

- There isn't..., is there?
  (～はないのですよね。)

- We are going to..., aren't we?
  (私たちは～するつもりですよね。)

Examples:

- It would be helpful if they were connected, wouldn't it?
  (もし接続されていれば助かりますよね。)

- Couldn't we all use the computers?
  (我々全員がコンピューターを使用してもいいんじゃないですか。)

Probing Questions　より詳細な情報を引き出そうとする質問形式

- Can I ask exactly what you mean by...?
  (～とは正確にはどういう意味なのかお聞きしたいのですが。)

- I'm not sure I understand your point. Could you go into more detail about...?
  (おっしゃったことが理解できたか自信がありません。～について、さらに詳しいご説明をお願いできますか。)

- May I ask why you feel that way?
  (どうしてそうお感じになるのかお聞きしたいのですが。)

Examples:

- Can I ask the main applications you use on the PCs?
  (パソコンでお使いになっている主なアプリケーションをお聞きしたいのですが。)

- May I ask the precise time schedule for introducing the new system?
 （新システム導入の詳しいタイムスケジュールをお聞きしたいのですが。）

Reflective Questions　自分の理解を確認するための質問形式

- So you're worried about...?
 （そうすると、～について心配しているのですね。）
- If I understand correctly, you...?
 （私が正しく理解しているとすると、あなたは～ですね。）
- So your main concern is...?
 （そうすると、主に心配していることは～ですね。）

Examples:
- So the main users are the secretaries and accounts?
 （そうすると、主なユーザーは秘書と経理部門なのですね。）
- So you are worried about training?
 （そうすると、トレーニングについて心配しているのですね。）

3 Assertive Communication Skills
アサーティブ・コミュニケーション・スキル

アサーティブ・コミュニケーション・スキルとは、**「相手の感情を害することなく、自分の権利、要求、欲求、願望、意見を直接的かつ率直に表現するための心構えとそのスキル」**のことです。したがってこのスキルは、意見の対立、反対、不合意を克服する際に有効といえます。

アサーティブ・コミュニケーション・スキルは次の3つのステップで成り立ちます。

Step 1	相手を理解していることを示す。
Step 2	考えや気持ちを述べる。なぜ賛成できないか、どう思うか、どう感じるかを伝える。
Step 3	解決策を提案する。相手の提案を尋ねる。または、どうなってほしいと思っているかを告げる。

以下に、それぞれのステップの表現を見ていきましょう。

Step 1 Showing Understanding
相手を理解していることを示す

「相手を理解する」ことは、「相手に賛成する」ことではありません。ここが大切なポイントです。実際、このアサーティブ・コミュニケーション・スキルの3つのステップは、相手に反対するときにこそ使われることが多いのです。

ではなぜ、「相手を理解している」ことを示すことが必要なのでしょうか。これには、いくつかの理由があります。まず、相手に「自分は理解されている」と感じさせるためです。これは心理的に大切な要素で、相手をリラックスさせ、安心させることにつながります。例えば、あなたがせっかく素晴らしいマーケティング方法を考えたのに、上司に理解してもらえなかったらどう感じますか。またその逆に、理解してもらえたらどう感じますか。どんなに攻撃的な人物であっても人間です。私たちは誰でも理解されたいと願っているものなのです。

次に、相手を「誤解なく、確実に理解する」ためです。相手を誤解するのはとても簡単です。このステップ1では、確実に相手を理解できるようにします。これは、前出のアクティブ・リスニング・スキルと似ています。私たちグローバリンクスが行っ

ているミーティング・スキルの研修でも、特に目立つ問題点として挙げられるのが、この「相手の要求や提案を誤解する（聞いていない）」という点です。自分が正しく理解しているかどうかを確認することで、正しく聞き取れているか、また論点や相手とのコミュニケーションのポイントがずれていないかを確かめることができるのです。

最後に、「考える時間を持つ」ためです。解釈したことを繰り返し言ってみることで、次に何を言うべきかを考える時間を持つことができるのです。

例

- If I understand correctly, your suggestion is...?
  （私が正しく理解しているとすると、あなたのご提案は〜ですね。）

- As I understand it, the reason you need delivery in 10 days is....
  （私の理解によると、貴社が10日以内の納品を必要とするのは〜からですね。）

- I understand that you are having difficulties with your suppliers.
  （貴社が納入業者にお困りだということが理解できました。）

- I understand your point, and I can see why you feel that way.
  （おっしゃっていることが理解でき、どうしてそうお感じになるのかが分かりました。）

- I recognize that this issue is very important and appreciate that you need a quick solution.
  （この問題が大変重要であることは存じ上げていますし、貴社が早期の解決を必要としていることは承知しております。）

- If I understand correctly, you feel that....
  （私が正しく理解しているとすれば、あなたは〜とお感じなのですね。）

- I can certainly understand why you feel disappointed.
  （あなたがどうして失望されているのか、よく理解できました。）

- I understand that this is a very important contract for your company.
  （これが貴社にとって大変重要な契約であることが理解できました。）

- Let me see if I understand your point. You said.... Is that right?
  （おっしゃったことが理解できているか確認させてください。〜とおっしゃったのですね。それで間違いないですか。）

- I appreciate that you are very busy at the moment.
  （あなたが現在大変お忙しいのは分かります。）

- I can see why this is so important to you.
  （なぜこのことが貴社にとってそれほど大切なのか分かります。）

Step 2　Explaining Your Situation
考えや気持ちを述べる

　あなたの意見や感情を、明確なコミュニケーションで伝えます。この際、アグレッシブなニュアンスを持った表現は避け、適切なつなぎの言葉を使うよう心がけます。

　使うべき言葉は、"However"、避けるべき言葉は"But"です。"However"は、次を開いていくイメージを持つ言葉で、あなたに話し合う意思があるという印象を与えます。"But"は、先を閉じてしまうイメージを持つ言葉、いわばストッピング・ワードで、あなたに話し合う意思がない、つまり「ノー」と同じ印象を相手に与えかねません。そのため、できるだけ"However"を使うようにしてください。

例（TRACK 38）

- Even so, I feel that the proposal does not fully satisfy our real interests.
  （たとえそうでも、その提案は我が社の真の利害を完全に満足させるものではないと思います。）
- However, I feel that idea may not work because....
  （しかしながら、そのアイデアは〜という理由からうまくいかないのではないかと思います。）
- Nevertheless, I feel we cannot agree to that because....
  （それでも、〜という理由から、我が社としてはそれには賛同できかねると思います。）
- On the other hand, we must consider the long-term implications of this proposal.
  （一方で、この提案の長期的な影響についてよく考えなければなりません。）

　またここでは、何かについてあなたがどう感じているか、すなわち何かに対する感情的な反応を表現することがありますが、このとき、主語は"You"ではなく、"I"を使うようにします。

"You"ではなく	"I"を使って表現する
● You made me angry.	● I feel angry.
● You let me down.	● I feel let down.
● You don't understand.	● I think there is a misunderstanding.
● You are confusing me.	● I am confused.
● You are not listening to me.	● I feel that I am not being listened to.

感情を表現することは、問題解決やディスカッションにおける大事なポイントのひとつですが、その際 "You" の代わりに "I" を使うことを覚えておいてください。"You" を使うと、相手を攻撃しているような印象を与えかねません。これが原因で相手を守り（自己防衛）に入らせてしまったり、逆に攻撃し返されてしまったりすることになるかもしれないのです。

Step 3　Proposing a Solution
解決策を提案する

　話し合いを進展させるために、あなたのアイデアを述べたり、提案をしたりします。どうなってほしいと思っているかを伝えることは、相手の真の意図を理解することと同様に大切なことです。伝えなければ相手には分かりません。

　ここでは、あなたから解決策を提案する、相手の考えを尋ねる、あなたがどうなってほしいと思っているかを伝える、といったことが含まれます。

例 (39)

- Therefore, I would like to suggest that....
  （そこで、〜を提案したいと思います。）

- Therefore, I would like to recommend that....
  （そこで、〜をお勧めしたいと思います。）

- Therefore, I would like to advise that....
  （であるからして、〜した方がよいと思います。）

- I feel it would be better if....
  （もし〜なら、それはもっとよくなると思います。）

- So one possible solution could be....
  （そこで、ひとつの解決策として〜が挙げられます。）

- Can I ask how you feel about this?
  （このことについてどう思われるかお聞きしたいのですが。）

- Do you have any suggestions?
  （何か提案はありますか。）

提案に関する語句の使い方について

- **Suggest** は、アイデアや可能性を示唆するときに使われます。
- **Propose** は、意見を述べたり、行動に関する提案をしたりするときに使われます。
- **Recommend** は、公式に解決策や行動に関して述べるときに使われます。
- **Advise** は、ある事柄に関して権限や特殊な知識を持っている人が、行動に関する提案をするときに使われます。
- **Feel** は、感情そのものを表すときに使われます。

次ページで、これまで見てきた3つのステップを使ったサンプルを見てみます。

＜3つのステップを使ったサンプル＞

Example 1

- I understand you feel anxious, and I agree that the situation is not very clear at the moment.
  Nevertheless, I do need to respond to Tanaka-san.
  Therefore, let's review the seminar schedule and content to see if we can figure out Tanaka-san's concerns. How do you feel about this idea?

  (不安なのはよく分かります。確かに、今の状況はあまりはっきりしていません。
  しかしそれでも、田中さんに返事をしなければならないのです。
  ですから、セミナーのスケジュールと内容を振り返って、田中さんの不満に思い当たることはないか考えてみましょう。この考えはどうでしょうか。)

Example 2

- I appreciate that you would like to deal with Tanaka-san directly.
  However, Tanaka-san clearly stated on the telephone that he wants me to respond to his concerns after discussing the training with you.
  Therefore, this time, it is important that I contact Tanaka-san directly and communicate our ideas to him. Can you agree to this idea?

  (あなたが田中さんに直接連絡をとりたいという気持ちは分かります。
  しかし、田中さんはあなたとトレーニングについて話し合ったあと、自分の不満について私から返事をもらいたいと電話ではっきりと伝えてきたのです。
  ですから、今回は私が田中さんに直接連絡をとり、私たちの考えを伝えることが大切なのです。この考えに納得していただけますか。)

Example 3

- I understand that Tanaka-san's call to me upsets you because after all he is your client and his complaint is indeed not very clear.
  However, Tanaka-san is a typical Japanese businessperson, and as such he hesitates to say negative things directly to you. I assume that's why he contacted me directly so that I could take a mediator's role. Frankly speaking, I feel uncomfortable doing this. However, it seems that I should be responsible because of the relationship that I have with Tanaka-san.
  Therefore, this time, I would like to contact Tanaka-san and arrange a meeting for the three of us to discuss the training. How do you feel about this idea?

  (田中さんが直接私に電話をしてきたことで、あなたがいらついているのは分かります。なんやかや言っても田中さんはあなたの顧客ですし、実際、彼の不満もあまりはっきりとしていま

せんからね。
　しかし、田中さんは典型的な日本人ビジネスパーソンですから、否定的なことを直接あなたに言うのをためらうのです。だからこそ彼は私に直接連絡してきて、私に仲介の労をとってもらえるようにしたのだと思います。正直なところあまり気乗りはしませんが、田中さんとの今までの関係からこの件は私が担当した方がよいと思えるのです。
　そこで今回は、私から彼に連絡をとり、私たち3人でトレーニングについて話し合う段取りをつけようと思います。この考えはどうでしょうか。)

Dangerous Words
危険な言葉

　日本人がよく使う英語の語句や表現には、英語を母国語とする外国人には、こちらの意図するところと異なった意味に受け取られ、感情を害するおそれがあるものがあります。特に意見が一致しないときや、問題解決について話し合っているときは、お互いに一つひとつの言葉に対して神経質になっていますから、特定の言葉を使う際は注意する必要があります。以下にそれらの例を挙げます。これらの語句や表現には、日本人が思っているニュアンスとは大きく異なるものがあることを覚えておいてください。

避けた方がよい表現	ふさわしい表現
相手に反対・反論する場合	
But 　"But"という言葉は、非常に強いイメージを持つ言葉です。「もうこれ以上の話し合いはしない」、「終わりだ」といったニュアンスを与えるおそれがあります。 **Anyway** 　"Anyway"という言葉は、話の矛先をそらそうとしているかのようなニュアンスを与えるおそれがあります。聞く側からすれば、「こちらの意見などどうでもよい」と言っているかのように聞こえてしまいます。 **Example:** "**But** you have to work overtime. **Anyway**, you have to finish by Friday." (でもね、残業してくれないと困ります。とにかく、金曜日までに必ず終わらせてください。)	**However** 　"However"という言葉は"But"より開かれたイメージを持ち、否定しつつもそのあとにつなげようとする意識が表れている言葉です。同意語には以下のようなものがあります。 ● Nevertheless ● Alternatively ● Even so ● On the other hand **Example:** "I appreciate that there is a lot of work. **However**, we must find a way to complete this project by Friday." (仕事がたくさんあるのは分かりますが、このプロジェクトを金曜日までに終わらせる方法を見つけなければなりません。)

避けた方がよい表現	ふさわしい表現
相手の責任や過失を追及する場合	
Fault "Fault"は非常にアグレッシブな言葉で、「個人」を攻撃しているニュアンスを与えます。 **Wrong** "Wrong"も"Fault"と同じようなイメージを与える言葉です。 **Example:** "No, you are **wrong**. It's your **fault** the delivery was late." （いいえ、そちらの間違いです。配送が遅れたのはそちらの落ち度ですよ。）	**Responsibility** "It's your responsibility." は「問題」に焦点を当てているため、相手の感情を害することが少ない表現です。その他 "I have a different point of view." や "I cannot agree." といった表現も有用です。 **Example:** "I cannot agree with that point. I believe it's your **responsibility** to make sure that the goods are delivered on time." （その意見には賛成できません。商品が時間通りに配送される責任は貴社にあると思います。）
相手に提案や提言をする場合	
You should..../You had better.... "You should...."や"You had better...."といった表現は、親が子供に対して「こうしなさい」と言っているような強い語調を感じさせます。多くの日本人は"Why don't you...?"のような意味合いで使っているようですが、非常に命令的な言葉になりますので、注意が必要です。 ほかに"You need to...."といった表現も同様の意味ですので注意しましょう。 **Example:** "**You should** do this work by Friday." （金曜日までにこの仕事を終わらせなさい。）	**Why don't you...?** 提案や提言などがある場合は"Why don't you...?"という表現を使うとよいでしょう。かなり語調が和らぎ、相手も聞く耳を持ってくれるはずです。ほかに以下のような表現も、同じように使えます。 ● I have a suggestion.... ● Have you considered...? ● Perhaps you could.... ● One idea could be.... **Example:** "**Why don't you** try to finish this work by Friday?" （金曜日までにこの仕事を終えるようにしませんか。）
相手に問題点を指摘する場合	
You/Your "You"や"Your"を使った表現は、「問題」ではなく「個人」に焦点を当てているため、相手が個人攻撃をされていると感じ、怒ってしまうことにもなりかねません。以下のような言い方は避けましょう。 **Example:** "A customer has complained about **your** training." （顧客はあなたのトレーニングに不満だそうです。）	**The/We, etc.** "The"や"We"などを使った表現を用いて、「個人」ではなく「問題」に焦点を当てるようにしましょう。こうすることで、双方が穏やかに話し合えるようになります。 **Example:** "A customer has said he is not happy with **the** training **we** provided." （顧客は我々のトレーニングに満足ではないと言っています。）

　効果的なコミュニケーションをとるためには、相手の言うことをよく聞き、自分の意見をはっきりとアサーティブに述べ、危険な言葉は避けるようにしましょう。

4 Logical Communication Skills
ロジカル・コミュニケーション・スキル

「イントロダクション」において、日本人が英語を使って外国人とコミュニケーションをとるとき、以下の点が弱いと述べました。
■自分の意見を主体的にまとめる力
■自分の意見を他の人の前で発表する力
■「論理」を形成したり、分析したり、再構成したりする力

国際コミュニケーションの場で、これらの弱点を乗り越えて積極的なコミュニケーションが図れるようになりたいものです。特に、「論理を形成したり、分析したり、再構成したりする力」は、英語でミーティングを行わなければならないファシリテーターにとっては、必須の力です。

「ロジカルなコミュニケーション」を考える場合、当然「ロジックとは何か」を考えなければなりません。「ロジックとは何か」とあらためて問われると、一言で答えるのに窮します。日常の中で「ロジカルだ」、「論理的だ」と言うとき、どのようなイメージで言うのでしょうか。おそらく「筋が通っている」とか「筋道が正しい」などというイメージではないでしょうか。それでは、「筋が通っている」というのはどういうことなのでしょうか。「筋が通っている」と言うとき、「真っすぐに通った一本道」を連想します。すなわち、「ある点からその先の点までが真っすぐにつながっている」というイメージです。

一般的に、「論理的」という語は、「データ」と「理由付け」と「主張」のそれぞれが、真っすぐな一本道でつながっていることを意味しています。それらは「論理の3点セット」と呼ばれ、そのつながりは図14のようなイメージから「三角ロジック」と呼ばれています。この図から分かることは、「主張」が「論理的」であるためには、客観的な「データ」と、そのデータと主張を結びつける「理由付け」が必要だということです。

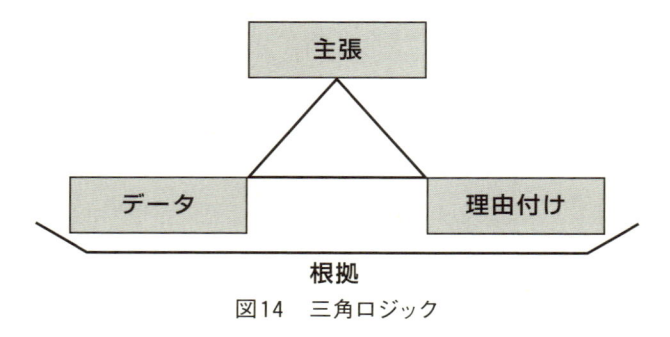

図14 三角ロジック

三角ロジックの簡単な例を挙げてみましょう。

データ	西の空が明るくなってきた
理由付け	経験から西の空が明るいとき、翌日は晴れだ
主張	明日は晴れだろう

演繹や帰納という考え方も、この三角ロジックをベースに考えられます。

演　繹	
理由付け	A、B、Cの3つの条件を満たす会社は買収する価値がある
データ	W社は、A、B、Cの3つの条件を満たしている
主張	W社を買収すべきである

帰　納	
データ	Intel、Microsoft、DELLのような水平分業型企業が成功している
理由付け	垂直統合型より、水平分業型が成功する
主張	当社も水平分業型に移行すべし

「話が分かりやすい」というのは、この3点がそろっていて、それぞれが一本の道でつながっている状態です。この1点でもそろわないと、話が「分かりにくい」とか「理解しづらい」ことになるのです。したがって、ファシリテーターはこの三角ロジックを念頭におきながら、議論のプロセスに注意を払う必要があります。

ロジカルなコミュニケーションの基本は、ミーティングの参加者に、「データ」を共有してもらい、「理由付け」を明らかにしてもらい、そして「主張」を明確にしてもらうステップを踏ませることです。参加者がこのステップを踏み外さないように、ファシリテーターは必要に応じて、それぞれのステップで議論に介入します。

① **データを共有してもらう**
前提となる事実を明らかにする。事実と意見のすり替えや混同を正す。話の立脚点を明らかにする。

② **理由付けを明らかにしてもらう**
論理の飛躍に注意する。客観的な論拠を求める。因果関係のもつれを解きほぐす。適切な例を示してもらう。

③ **主張を明確にしてもらう**
結論を引き出す。あいまいな意見を明確な意見に仕立てる。明確な数量で示してもらう。

Section 3

Participation Skills
参加スキル

1　参加
2　プレゼンター
3　書記・記録係
4　オブザーバー

The Great Facilitator

1 Participation
参加

◆**Requesting a Copy of the Agenda**
アジェンダを入手する

　ミーティングに参加する場合、最初にすべきことは、アジェンダの写しを入手し、各議題に対する自分の意見やアイデアを準備しておくことです。もし、何を準備したらよいか、あるいはなぜミーティングに参加しなければならないのか、といったことが明確でなければ、ファシリテーター（あるいは議長）に連絡し、説明してもらいましょう。その際、あなたが何を準備したらよいのかと、ファシリテーター（あるいは議長）があなたに何を期待しているのかを、特に明確にしておきましょう。公式ミーティングに参加する場合は、短いプレゼンテーションを準備したり、メモをワープロソフトで文書化したりしておくとよいでしょう。どちらを行うにせよ、参加者全員に配布できるよう、プレゼンテーション用スライドやメモはコピーをとっておいてください。非公式ミーティング、あるいは部門内ミーティングに参加する場合は、メモは手書きのままで構いません。アイデアや情報を発表する際には、ホワイトボードを使ってもよいでしょう。

◆**Choosing a Good Seat**
座る席を選ぶ

　もし、座る席が選べるなら、ファシリテーターの近くか、その向かい側を選ぶようにします。こうすることで、ファシリテーターの注意を引きやすくなります。大声で話す人やアグレッシブ（攻撃的）な態度の人の隣では、迷惑を被ったり、効果的な参加が妨げられたりすることがあるので、そうした人の隣はできるだけ避けるようにします。また、あなたのアイデアや提案に反対しそうな人の近くも避けます。あなたのアイデアや提案を支持してくれそうな人の近くに座るようにしましょう。
　より強い存在感を示し、周りの注意を引けるよう、イスの高さはできるだけ高くセットしてください。質問やコメントをしたいときや、ファシリテーターや発言者の注意を引きたいときには、積極的に挙手するなどのボディランゲージを使いましょう。

◆**Supporting the Facilitator**
ファシリテーターをサポートする

　もうひとつの参加テクニックは、ファシリテーターをサポートすることです。議論し

ているまさにその問題に言及する、情報を明確にする、適切な質問をする、有益なコメントを投げかける、などを行うことで、議論に深みを持たせ、時間管理の手助けとなります。表現例は以下の通りです。

- Can I just clarify exactly what resources are available to us?
  （どんな資料や情報が利用できるのか一つひとつ明確にしたいのですが。）
- May I ask Mr. Rogers to expand on his ideas?
  （ロジャースさんに彼のアイデアを詳しく説明していただくようお願いしたいのですが。）

◆Communicating Effectively
効果的なコミュニケーションを図る

　他の参加者の意見やアイデアをしっかりと聞き、自分の意見やアイデアをはっきりと伝えることも大切なことです。ここで必要となるのが、単に英語力だけではなく、正確に相手の真意を測り、こちらの思いを相手の感情を害することなく、正確に簡潔に、分かりやすく伝える力です。そのために、アクティブ・リスニング・スキル（62ページ）、アサーティブ・コミュニケーション・スキル（74ページ）を身に付けるようにしてください。

◆Using Handouts
ハンドアウトを使う

　情報を伝えやすくするために、常にハンドアウト（配布資料）を用意しましょう。ミーティング中、適切なタイミング（通常、議題がアジェンダに上った時点）でハンドアウトを他の参加者に配布します。まず目的と背景を短く述べ、次いでアイデアや提案をサポートする基本的な事実や事柄を述べ、そしてアイデアや提案をはっきりとシンプルに伝えます。聞いている者が混乱してしまうような、複雑で長々とした説明は避け、理解しやすいものにします。発表を終えるときは、常に特徴と利点を強調し、参加者がそのアイデアや提案を受け入れることで、問題解決にどのように結びつくのかを理解できるようにします。また発表を準備する際には、他の参加者が心配や関心を示す項目や要素を明確にしておきます。それから、質問に答えたり、他の参加者が心配や関心を示したりしたときに、追加のサポート情報を提示します。最後に、参加者が5人以上いる場合は、立ち上がって話すとよいでしょう。もしハンドアウトを用意する時間がなかったら、ホワイトボードを使うとよいでしょう。情報を簡潔に述べ、参加者全員の興味と注意を維持することに役立ちます。（サンプルは次ページ図15参照）

Proposal for New Production Equipment
Akira Nakamura – Production Manager

Issue: Our production equipment is old and needs replacing. Unless we replace the equipment soon, we will not be able to meet current market demands or our future business needs. The quality of our products will be reduced and orders will be delayed.

Facts: Current situation.
- Production equipment is now 15 years old.
- Maximum life expectancy for this type of equipment is 12-15 years.
- Many quality problems, due to the frequent breakdowns and constant realignments.
- These problems have resulted in frequent late deliveries.
- Production needs to expand to meet sales demand.
- New overseas business will also lead to increased production demands.
- New products could also lead to increased sales and production demands delayed.

Options: Four possible options.
- Purchase new production equipment.
- Lease new production equipment. (Not cost effective)
- Outsource production (No control of production, slow response to market)
- Refurbish old equipment. (Not feasible, equipment is too old)

Proposal: Purchase new production equipment soon.
- Maintain control of production quality.
- Respond to market demands quickly and timely.
- New equipment can produce higher quality at lower cost – 160% more efficient.
- ROI (Return On Investment) in just five years.
- Production staff can be reduced by 12 (20%) – significant cost savings.
- Lower maintenance cost – save costs.
- Total cost – $U.S.1,870,000.

Benefits: Cheaper production cost – Better quality – Faster response to market demands – Reduced overhead – ROI in five years.

図15　ハンドアウトのサンプル

Tips for Taking Notes
メモをとるためのヒント

　相手の言うことをよく聞き、こちらが本当に理解しようとしていることを見せるための方法として、メモをとることをお勧めします。メモにキーポイントやキーワードを書き留めておくのですが、こうすることで、こちらが相手の言うことをよく聞き、理解に努めていることを示すことになります。また、相手もこちらがメモをとるのを見て、ゆっくりと、簡潔な言葉で話してくれるかもしれません。

　メモをとるというのは、単に何が起きているのかの理解を助けるだけでなく、こちらが他者の言うことを聞き、理解しようとし、ミーティングの流れに沿っていこうとしていることを他の参加者に伝えるツールでもあります。メモのとり方は、自分がとりやすいスタイルであればどんなものでもよいのですが、お勧めできる方法としては、フリー・フォーム・スタイルがあります。フリー・フォーム・スタイルとは、ミーティングの前に、議論で話し合われると予想される大事な項目のベースマップ（概略図）を描いておき、ミーティング中に議論された新しい情報をそのベースマップに追加していくという方法です。また、記録したメモを、あなたが大事な項目や決定事項、行動をいかに正しく理解し、書き留めているかといったことを示す意味で、他の参加者に見せるのもよいでしょう。そして、そのメモをミーティングの記録あるいは議事録として、報告書を書く際の助けにすることができます。

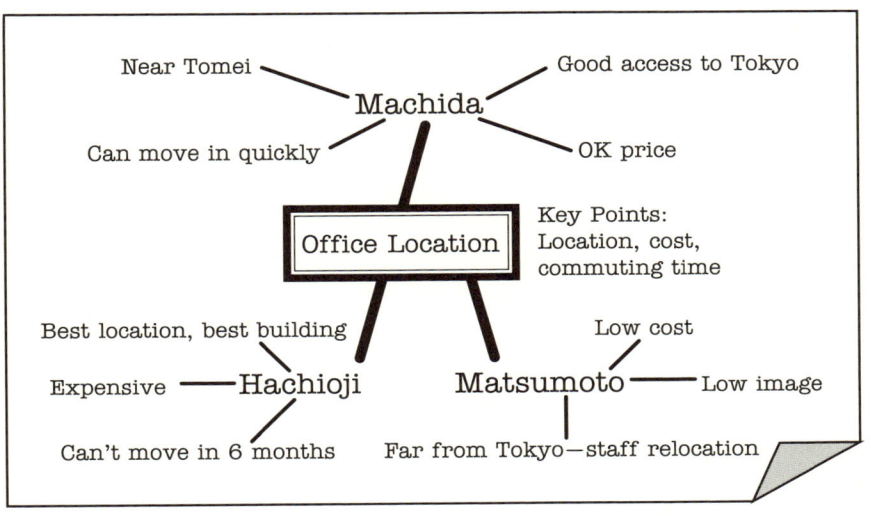

```
        Near Tomei              Good access to Tokyo
                    Machida
       Can move in quickly         OK price

                                Key Points:
              Office Location   Location, cost,
                                commuting time

   Best location, best building        Low cost
       Expensive — Hachioji   Matsumoto — Low image
       Can't move in 6 months   Far from Tokyo—staff relocation
```

図16　フリー・フォーム・スタイルのメモのサンプル

2 Presenter
プレゼンター

　プレゼンターは、聞き手のニーズと期待、および達成したい目的を明確に理解しておく必要があります。自分に求められていることは何かを、ファシリテーター(あるいは議長)に以下のような質問をして、明確にしておきます。

例 (CD TRACK 43)

- Who will be participating in the meeting?
  (ミーティングには誰が参加するのですか。)
- What is their level of knowledge?
  (参加者の〔テーマに対する〕知識レベルはどれくらいですか。)
- What do they want to learn?
  (参加者は何を学ぼうとしているのですか。)
- How will they use the information?
  (参加者は情報をどのように活用するつもりですか。)
- How much time will I be given?
  (〔プレゼンテーションには〕どのくらいの時間が与えられているのですか。)
- What facilities are available?
  (どんな設備が使えるのですか。)
- When should I submit my presentation slides or handouts?
  (いつプレゼンテーション用のスライドやハンドアウトを提出したらよいですか。)
- What format should the information be presented in?
  (情報はどんな形式で発表したらよいですか。)

　また、ミーティングにおける自分の役割と、プレゼンテーションをしたあとにメンバーとして参加するのかどうかも、明確にしておきましょう。
　プレゼンテーションに関する詳細は、本書の姉妹編『英語プレゼンテーションの基本スキル』(小社刊)をご覧ください。

Tips for Effective Presentation
効果的なプレゼンテーションのためのヒント

▶ 効果的なハンドアウトを使います。ハンドアウトは、平易な英語を使用し、キーポイントと重要情報を際立たせて、明確で簡潔なフォーマットで作成しましょう。

▶ ミーティングの適当な頃合を見計らってハンドアウトを配布し、それを基にプレゼンテーションをしてミーティングを主導します。

▶ ホワイトボードを活用します。参加者の興味と注意を引き付けるよい方法は、ホワイトボードを使うことです。これは自分の情報を的確に伝えるとともに、誤解を避けることにも役立ちます。

▶ 事実を使います。人は、自分が何を話しているかきちんと理解しているように聞こえる人の話には、耳を傾けるものです。事実に基づくことで、これが可能となります。また他の部門や利害関係のあるグループが、あなたの提案を支持していることが明らかになれば、プレゼンテーションはさらに説得力を増すでしょう。ですから、準備は注意深く行い、提案をサポートする正しい事実と数値を集めるようにします。

▶ プレゼンテーションは短く簡潔にします。こちらの提案がシンプルで、実行しやすく、最も理にかなった解決策であると参加者が感じられるようにします。混乱を招くような、複雑で長たらしいプレゼンテーションは避けましょう。常に利点や恩恵を強調して提案をサポートすることが大切です。

▶ 反対意見への準備をしておきます。参加者から出されると予測される反対意見やコメントについて考慮しておきましょう。

▶ 注意深く聞きます。こちらの提案に対する他の参加者の意見を理解するようにします。あなたが考えつかなかった、有益なアイデアや意見を出してくれるかもしれません。また他の参加者のアイデアや意見を聞くことで、思慮深い人物として見られ、こちらの提案が受け入れてもらえやすくなるかもしれません。

3 Recorder
書記・記録係

　書記・記録係の役割は、ミーティングで起きた事実を議事録に記録することです。議事録は様々な目的を持ちますが、最も一般的な目的は、決定事項や行動計画といった、ミーティングの結果を伝えることにあります。議事録とは、ミーティングで話し合われ、合意された決定事項と行動計画を、短く簡潔にまとめたものです。議事録はミーティングの公式な記録として会社に残されるほか、事業活動の様子を伝えるため、参加者全員とその上司に配布されます。

　しかし、英語のノンネイティブ・スピーカーにとって、議事録を英語で書き出していくことは容易ではありませんので、志願して行う際には、かなり注意深く考えなければなりません。しかし、それを助けるいくつかのテクニックはあります。

　その1つめが「抜粋する」ことです。ミーティングで起こったことすべてを書き出すということは不可能ですし、またそうすべきではありません。必要なことは、「知っておいてもよいこと」から「知っておくべきこと」を選び分けることです。議事録を受け取る人が知っておかなければならない情報だけを書き留めるようにします。参加者が繰り返したり、強調したりする言葉や表現を、注意深く聞くようにしましょう。

　2つめが「何が関連するのか見抜く」ことです。ミーティングは常に予定通りに進むとは限らず、ミーティングの目的と関連のない事項の議論になることがしばしばあります。これらはファシリテーターから特別に依頼がない限り、議事録に記載する必要はありません。

Tips for Writing Minutes
議事録作成のためのヒント

▶ よいノートをとります。ノートのとり方によって議事録の完成度が左右されます。ミーティングの内容を録音しておくのもよいでしょう。

▶ すべてを記載しないで抜粋します。ミーティングでのすべてのやり取りを議事録に記載してはいけません。必要なことは、「知っておいてもよいこと」から「知っておかなければならないこと」を抜き出すことです。議事録には、議事録を受け取る人が知っておかなければならない情報（どうやって、またどういう理由でその決定がされたか）のみを記載するようにします。ですから参加者が繰り返したり、強調したりする言葉や発言は注

意深く聞くようにします。
- ▶ 何が関連するかに注目します。ミーティングは常に議題に沿って進むわけではありません。ミーティングの目的と関係ないことまで話されることがよくあります。これらはファシリテーターが特に指示をしない限り、議事録に記載する必要はありません。
- ▶ 事実と意見を区別します。議事録をとっているとき、参加者の発言が事実なのか意見なのか見極めるために発言に割って入り、確認する必要があるかもしれません。ふつう、人が「それは事実です」と言った場合、意見であることが多いようです。あいまいな点や発言はその場で明確にしましょう。ミーティングが終わるまで待っていてはいけません。ミーティングの中ではっきりさせることが大切です。

Tips for Publishing Minutes
議事録発表のためのヒント

- ▶ 議事録は、簡潔に情報が提供されていて、読みやすいものにします。議事録を受け取った人が素早く、30秒ほどで内容をつかみ取れるようなものにします。受け取った人が、ミーティングの全決定事項、参加者の名前（あるいはイニシャル）、参加者に課せられた行動計画と責任を即座に理解できるようなものでなければなりません。
- ▶ 議事録の構成は、ミーティングの展開に沿うようにします。こうすることで、参加者が記憶を思い起こせるため、素早く議事録を理解する助けとなります。議事録を大事な項目から順に書き直すというようなことはしないでください。
- ▶ 文章は短めにし、平易な英語を使用します。文法にあまりこだわり過ぎないようにします。個条書きにすると読みやすいでしょう。議事録は本のように熟読するようなものであってはいけません。
- ▶ 議事録は簡潔で、事実に基づいたものにします。もし議事録が数ページにわたってしまう場合は、最初にエグゼクティブ・サマリー（重要な決定を要約したもの）を入れておくことをお勧めします。
- ▶ 議事録を参加者に配布する前に、写しをファシリテーター（あるいは議長）に送り、承認を得ます。もし議事録がハードコピーで配布されるのであれば、ファシリテーター（あるいは議長）に署名をしてもらいます。電子メールなどのソフトコピーで配布されるのであれば、"Minutes Approved by Facilitator (Chairperson)" の文言を入れるようにします。
- ▶ 議事録は通常、ミーティング後48時間以内に配布します。

Minutes–Managers' Meeting 15th May 2006 (Tokyo Head Office)	
Purpose: 1. Finalize the office moving date 　　　　　2. Review new company logo	
Chairperson: Amanda Smith **Recorder:** 　Jane Salvey (Extn. 277 email: jsalvey@efemetg.com) **Present:** 　　Keiko Yamaguchi, Mark Roberts, Peter Marshall, Julia Freeman, Tom Honda, Paula Winters, Isao Sasaki. **Absent:** 　　 Philip Jameson (Attending sales and marketing conference in Cardiff) **Copied to:** 　Jane Masters, Philip Jameson, Phil Deane and Jim Rogers.	
Item:	Actions:
1 **Minutes** of previous meeting reviewed. All actions completed.	
2 **Office Move** Mark Roberts (Systems Manager) proposed delaying the move to Hachioji by two weeks in order to save costs on installing the new computer system. **IT WAS DECIDED** that the move shall be delayed until 12th July.	**Julia Freeman** Notify all departments of the new schedule by Friday 20th May.
3 **Organizational Changes** Paula Winters will assume her new position as Head of Personnel from 1st June.	
4 **New Company Logo** Peter Marshall (Advertising Manager) presented the new company logo. All members approved the logo. (Ref. attached file for picture and concept) **IT WAS DECIDED** that the new logo will be used <u>after</u> the move to Hachioji.	**Peter Marshall** Confirm schedule with Sales and Marketing team by Friday 20th May.
5 **Next Meeting** Date: 15th June 2006. 14:00-15:00. Location: 7th floor conference room - Tokyo head office Chairperson: <u>Mark Roberts</u> (Amanda is on holiday) Topics: Finalize schedule for move to Hachioji Marketing plan for 2006-2007 (Jane Masters)	**Jane Masters** Distribute Marketing plan to all members by 10th June.
Jane Salvey Jane Salvey Secretary 16th May 2006	*A. Smith* Amanda Smith Chairperson

図17　議事録のサンプル

4 Observer
オブザーバー

　オブザーバーが最初に行うことは、ミーティングに出席する許可をファシリテーター（あるいは議長）から得ることです。その際、自分がミーティングに出席する意図や理由を明確に説明してもらいます。また、これは特に大切なことですが、参加者がいつもほぼ同じである定期的なミーティングへの出席が許可されたような場合、参加者同士が固く結束し、外部者に対して懐疑的なことがよくありますので注意しましょう。

　出席する許可を得たら、それ以前のミーティング数回分のアジェンダと議事録を要求しておきます。こうすることで、現在の状況と、最近のミーティングで取り扱われた項目が理解でき、結果としてミーティングの内容と流れを理解することにつながります。

　ミーティングの冒頭で、自己紹介してもよいかどうかをファシリテーターに尋ねます。許可された場合は、自己紹介は短くして、ミーティングにオブザーバーとして出席する理由を明確に説明し、出席させてもらうことの謝意をグループに伝えます。その際、オブザーバー自らはミーティングそのものには関与しないということを、明確にしておく必要があるかもしれません。

　ミーティング中は注意深く聞くことに徹します。ミーティングの進行やグループの作業を中断したり、かかわったり、質問したりしてはいけません。情報をはっきりさせたいときには、ミーティングが終わってから質問するようにします。

Part 2
Application
応用編

Section 4　目的別ミーティング
Section 5　ミーティングのスタイル
Section 6　地域別・国別情報
Section 7　よくある質問集

Section 4

Meeting Purpose
目的別ミーティング

1 意思決定ミーティング
2 問題解決ミーティング
3 アイデア創造ミーティング
4 プロジェクト立ち上げミーティング
5 プロジェクト振り返りミーティング
6 プロジェクト締めくくりミーティング
7 ネゴシエーション・ミーティング
8 セールス・ミーティング

The Great Facilitator

1 Decision Making
意思決定ミーティング

Process
意思決定のプロセス

　ファシリテーションのうちで最も難しいことは、グループを正しい決定に導くことです。合意や意思決定を阻もうとするようなグループには、常に違った意見があります。文化的背景の異なる人々と同じグループで働くとき、価値観や信条、プロセスなどが衝突することから、様々な違いが現れる傾向があります。加えて、組織や社会、政治的状況、変化のスピードなどによって、意思決定もより複雑化してきます。では、グループに正しい決定をもたらすためには何が必要なのでしょうか。

　意思決定のプロセスと方法およびテクニックを理解することが、グループに正しい決定をもたらすことにつながります。さらにもうひとつ、意思決定のために重要であるにもかかわらず、ときに見逃されてしまう要素が、「態度」です。意思決定にはグループの正しい態度、すなわち「**すべての問題は、正しく受け止められさえすれば、絶好の機会となりえる**」という態度が要求されます。そのためには、グループが問題を「機会」として捉えられるようにしなくてはなりません。これはつまり、問題を「解決する対象」というよりも、「機会」として捉えることを意味します。例えば、不満を持った顧客から苦情の手紙を受け取ったとしましょう。あなたは、製品やサービスのどこがまずかったのかを見つけることで、問題を機会に置き換えることができ、こうした顧客との経験を通して製品やサービスの質の向上につなげることができるのです。すべては決定者の態度にかかっているのです。ファシリテーターは、グループが物事を「問題」としてではなく、「機会」として捉えることでよりよい決定ができる、ということを頭に入れておくことが大切です。

　以下に意思決定に持ち込む際の表現例を挙げます。

例

- If you have no more questions, can I ask for your agreement on this proposal?
  （もう質問がないようなら、この提案にご賛同をお願いしたいのですが。）

- May I ask for your comments on this proposal?
  （この提案に対して何かコメントをお願いします。）

- May I ask if this idea solves these problems?
  （このアイデアがこれらの問題の解決につながるかお聞きしたいのですが。）

Methodologies
意思決定のための方法論

　グループの意思決定において、完璧な方法というものはありません。メンバー間の関係や、決定の質、決定に費やされる時間、メンバーの決定に対するコミットメントの違い、といったものによって左右されるからです。すべてのメンバーを合意させるというのは不可能なようですが、実は可能なのです。しかし、それには注意深い計画と、よいファシリテーションが求められます。以下が一般的に使われる意思決定の方法です。

◆Autocratic Approach
独裁・専制方式

　グループのリーダーあるいは最も地位の高い人物が決定を下し、その結果について全責任を負います。この方法は、個人（通常リーダーや上司）が決定を下すようなグループでは一般的です。これは何かを決める際、最も速く、単純で、分かりやすい方法です。この方法の主な欠点としては、メンバーの頭脳を使わないため、彼らに貢献させる気を起こさせないという点があります。短い時間で決定しなければならないといった場合には、個人の決定が最良の選択となることがたびたびあります。もしミーティングの最中ビルが火事になったら、避難することに賛成かどうか、グループに考えさせるようなことはしないでしょう。グループという状況下では、個人が決定を下すことは、メンバー全員が同時にその決定を聞けるという利点があります。この方法は、それ以外の点でグループを巻き込むことはないでしょう。

◆Consultative Approach
協議方式

　この意思決定方法では、リーダーあるいは上司は、メンバーの意見を聞いたあと、決定を下します。これは他の方法よりも時間がかからず、またメンバーからの意見により、リーダーや上司は問題を異なった面から見ることができます。そしてメンバーは、自分の意見と、ミーティングへの貢献が認められていると感じることができます。しかし、最終的には、リーダーや上司が決定を下すことになります。

　この方法は、グループがかかわる中ではおそらく最も時間効率のよい方法で、より質の高い決定につながるものといえます。しかし、実際のところ、ほとんどのリーダーや上司は、単にそうしないと不安なので形だけ他者の意見を聞いているに過ぎず、すべての意見を取り入れようとはしないので、自分の提案が受け入れられなかったメンバーのフラストレーションを募らせることになってしまいます。最悪の場

合、彼らはミーティングのあと、決定したことを妨害することもあり得ます。残念なことに、すでに決定を心に秘めているリーダーや上司が、単にメンバーに自分たちもかかわっているのだと思わせるために、この方法を使用することがあります。リーダーや上司は、自分のアイデアを「素晴らしいアイデアですね」と言ってもらいたいという本心があるときに、「あなたのアイデアをぜひ聞かせてほしい」というような言い方をすることがあります。すでに決定を心に秘めているなら、リーダーや上司は、そのことをはっきりとメンバーに伝えなければなりません。

◆Consultative Consensus Approach
協議の上のコンセンサス方式

　これは前述した2つの方式の特徴を活かした方法で、決定する前に異なった側の意見を聞きたいと、リーダーや上司が心から思っている場合に使う方法です。これは前述の方式よりも時間はかかりますが、より高い質の決定をすることができます。なぜなら、メンバーが意思決定に参加し、最終的な決定をサポートすることになるからです。この方法では、リーダーや上司は、メンバーに提案や意見を聞き、彼らが不安に思う点に対処し、決定を全員が受け入れられる形に近付けることで、コンセンサスを得ようとします。

　ただし、この方法を効果的に行うためには、リーダーや上司がファシリテーションのスキルを身に付けているか、外部のファシリテーターを利用する必要があります。さもないと、グループは意思決定がリーダーや上司に操られているかのように感じてしまいます。

◆Modified Consensus Approach
修正コンセンサス方式

　これは、グループ・メンバー全員によってサポートされた質の高い決定を生むことから、よくグループによる意思決定に使われます。この意思決定方法では、まずメンバーに提案について、肯定的な点や心配な点を述べてもらいます。そして心配な点に対して、グループの全員が受け入れ、支持できるような解決案を見いだすことに力を注ぎます。

　ファシリテーターは各メンバーに（たとえその提案を支持しないだろうと思える人に対しても）、提案の一部または全体に関する肯定的な点を述べてもらうよう働きかけます。すべての肯定的な点がリストアップされたら、次に各人に"how to..."や、"How can we...?"（どうやって〜できるでしょうか。）あるいは、"I wish...."（〜であることを期待しています。）という表現を使って心配な点を述べてもらうようにします。

その際、"It costs too much."（費用がかかりすぎます。）という言い方の代わりに、"Do you have any idea how to get the funds for this project?"（このプロジェクトのための資金をどうやって入手するかについて、案はありますか。）や、"How can we find funds to pay for it this year?"（今年それに支払う資金をどうやって調達することができるでしょうか。）または、"I wish we could find a sponsor to pay for this project."（このプロジェクトの支払いをしてもらえるスポンサーが見つかることを期待しています。）という言い方をして、「心配な点」を「解決すべき課題」に置き換えましょう。こうして心配な点がリストアップされたら、ファシリテーターは、それらを解決するアイデアをグループに出してもらうことに焦点を移します。様々なアイデアが出される中、解決案が浮かび上がってきたら、ファシリテーターはその解決案で心配な点が解決されそうか、グループに問いかけます。心配な点が解決されそうなら、ファシリテーターはグループに、解決案を基に修正された提案を、どのくらい支持しているか尋ねるようにします。ここでは"Is everybody satisfied with the proposal as it now stands?"（今の内容の提案に皆さん満足ですか。）あるいは反対に、"Is there anyone who can't live with the proposal as it is now written?"（今の文面の提案を受け入れられないという方はいらっしゃいますか。）といった表現が鍵となります。もし全員が修正された提案に満足し、サポートしようとする意思があるならば、コンセンサスが得られたものとなります。ファシリテーターは、グループがその提案を受け入れるかどうかを判断するために、"Is everyone comfortable with...?"（皆さん〜について満足ですか。）や、"Are there any concerns with...?"（〜について心配な点がありますか。）といったコンセンサスに関する質問を使うようにします。全員が修正された提案に満足できたならば、コンセンサスは得られたわけですから、それ以上話し合いを続ける必要はありません。

◆Absolute Consensus Approach
絶対的なコンセンサス方式

これは、すべての意思決定方法の中で最も時間のかかる方法です。絶対的なコンセンサスの基準は、提案のすべての事項を満場一致で合意することです。この方法は、例えば会社のミッション・ステートメントなど、全員の合意が要求されるような特別な環境で使われるものです。この方法は、修正コンセンサス方式と同様、7〜8人以下の少人数のグループで最も効果を発揮します。

修正コンセンサス方式と絶対的なコンセンサス方式の主な違いは、修正コンセンサス方式では、グループ全員が提案に100パーセント同意していなくても、それを

受け入れサポートしようとする意思があればよいという点です。これは、全員が提案に100パーセント同意するまで時間をかけることに、果たしてそれだけの価値があるのか、という考えからきています。

　また、グループが絶対的なコンセンサスを達成しようとしたからといって、必ずしもそれが達成できる保証はどこにもありません。ですから、時間内にコンセンサスが得られなかったときのために、予備の意思決定方法を準備しておくことが賢明といえます。

◆Democratic Approach－Taking a Vote
民主的方式──採決

　「では賛成の方は『はい』を、反対の方は『いいえ』を。棄権はありますか。……採決の結果は8対3で、賛成多数で提案は可決されました」。こうした採決のあと、役員会や委員会では、おそらく次の議題に移ることでしょう。行動（この場合は採決）が起こされ、多数派がそれを支持します。これで終わりでしょうか。運がよければそうです。このような方式で、政府機関、最高裁判所など大多数の組織では決定が下されます。何かおかしなところがあるでしょうか。

　採決方式の主な問題点は、ただ「勝ち負け」だけを提示することにあります。たとえ反対した人数が1人か2人であっても、多数派に投票しなかった人は、グループの決定を脅かす可能性があるのです。うまくできたと思えるような決定でも、ミーティングのあとに反対した人が否定的なコメントを広めたり、あるいはより巧妙な方法、例えば、消極的態度で行動に取り組んだりした際には、裏目に出ることもあるのです。こうした理由により、採決は会社組織ではあまり使われませんが、非営利組織では広く使われています。

　上記で示した方法論を使用する際のヒントを、以下に示します。

◆Pros-Cons Analysis (Merits vs. Demerits)
賛成点と反対点の分析（長所対短所）

　まず、決定したい提案事項を書き、その下に「賛成」と「反対」の見出しを付けた表を作ります。「賛成」の見出しの欄には肯定的な点を、「反対」の見出しの欄には否定的な点を書き出します。その後、肯定的な点と否定的な点を含めて、あらためて提案事項を見直して、実際にその提案に従った行動をとるとどうなるかについて、肯定的な点と否定的な点をさらに書き出します。

◆Experts Advice
専門家の活用

　複雑で専門的な決定をするときは、ときとして、特別なスキルや知識を持った専門家やコンサルタントの助けを得た方がよい場合があります。グループに十分なスキルや知識がない、あるいは外部からのアドバイスによる利点を得たいといった場合は、外部の専門家やコンサルタントを活用しましょう。

◆Decision and Action Notes
決定・行動メモ

　決定・行動メモには、大切な点を明確に要約し、決定事項と、参加者に課せられた行動とをはっきりと詳細に記録することが大切です。メモをいくつかの欄に分け、議題、決定、行動といった項目に区別しておくと分かりやすくなります。図18が、決定・行動メモのサンプルです。

\multicolumn{5}{c}{Notes for Profits Allocation Meeting 10/Feb/2006}				
Item	Proposal	Issues	Decision	Action/Due Date
1. Sales and Marketing	・Globalize ・Target US mkt ・Then EU and Asia mkts	・Japan mkt saturated 15% share ・CONSIDERATIONS: 　-Market size 　-Competitors 　-Design 　-Specifications 　-Distribution	・Research US mkt ・Check specifications ・Modification feasibility	・Bob: research mkt ・Andy: check specifications Due: 30 March
2. Production	・Purchase new equipment	・15 years–breakdowns ・Poor quality–late delivery ・Cost–ROI ・Installation–timing ・Reduce production staff	・Purchase new m/c ・Install over new year break ・Cut five staff	・Abe: purchase new m/c ・Kevin: install new m/c Due: 11 March
3. Finance Invest in Bonds	・Save 50% of profits	・Future business not clear ・High risk to spend	・Save 20% of profits ・Invest in low risk bonds	・Nakamura: advise next meeting of investment strategy
4. Proposal: Office Relocation	・Move to Yokohama	・High rent in Tokyo ・Save money in long term ・Buy new office in Yokohama	・Research feasibility of purchasing building in Yokohama	・Suzuki: conduct feasibility and report next meeting
5. Next Meeting	14/04/2006 14:00 Conference room #4	・Review minutes ・Review options, reports ・Finalize investment plan		・Sasaki: circulate minutes

図18　決定・行動メモのサンプル

2 Problem Solving
問題解決ミーティング

一般的に、問題解決ミーティングは以下の3つのフェーズに沿って進められます。

Phase 1	問題の明確化と分析
Phase 2	理想的な解決やゴールの展望
Phase 3	アイデアの創造とオプションの絞り込みおよび意思決定

Phase 1　Defining and Analyzing the Problem
問題の明確化と分析

　問題解決にはまず、問題とその原因を明確にしなければなりません。不明確な問題説明は、解決へのプロセスを遅くし、貧弱な解決策しか導きません。問題解決ミーティングでは、ファシリテーターはまず問題とその原因をはっきりさせる必要があります。その段階でも、参加者が問題とその原因について、それぞれ異なった考えを持っていることに気付くでしょう。ですから、全員の考えをミーティングで明らかにし、問題の定義を共有することが大切になります。

　問題を明確にするためのツールとして、**マインドマッピング法**が非常に役立ちます。ホワイトボードや紙の中心に問題を書き出し、参加者にその原因と考えられるものを挙げてもらい、それらを関連ごとに放射線状に付け加えていきます。参加者にできるだけ考えを出してもらい、議論を深めるために質問しましょう。以下がその表現例です。

45 例1

- Could you explain that in more detail?
  （もう少し具体的にそれを説明していただけますか。）
- May I ask why you feel that...is the cause of the problem?
  （～が問題の原因だと感じる理由をお聞きしたいのですが。）
- Does everybody agree on the definition of the problem?
  （その問題の定義に皆さん賛成されますか。）

　参加者の発言に注意深く耳を傾け（アクティブ・リスニング）、意見をサポートするために建設的な言葉を使いましょう。以下がその例です。

例 2

- I agree with Kevin's point of view that the problem seems to stem from....
  (問題が〜に由来しているようだというケビンさんの意見に賛成です。)
- I partially agree with John's point of view. However, I feel that....
  (部分的にはジョンさんの意見に賛成ですが、〜と感じます。)
- In my opinion we should also consider how...influences the problem.
  (私の意見は、〜が問題にどう影響するかもよく考える必要があるということです。)
- John has a good point; we should look at that in more detail.
  (ジョンさんはよいポイントをついています。もっと詳しく見ていくべきですね。)

Phase 2　Visioning the Ideal Solution or Goal
理想的な解決やゴールの展望

　ゴールの展望についての説明は、できるだけ明確にしなければなりません。例えば "By 2010 we will have zero defect products from all our factories."（2010年までに、すべての工場で製品の欠陥がゼロになるようにする。）というようにです。

　ファシリテーターとして、グループのゴールの展望についての考えやアイデアを明確にし、それらをまとめるためには、いろいろなツールがあります。例えば、すべての参加者に理想的なゴールの展望について質問し、意見をリストアップします。次にそれがどうやって達成できるかという質問を通して話し合いをさせます。または大きなグループを4〜5人の小さなグループに分け、ブレインストーミング法を用いて参加者に自由にアイデアを発言させ、各グループに理想的な解決策を話し合わせ、評価させます。その際、ホワイトボードを使ってアイデアの創造と視覚化を促します。

Phase 3　Generating Ideas, Narrowing Options and Decision Making
アイデアの創造とオプションの絞り込みおよび意思決定

　ファシリテーターは、グループが創造性を発揮できるように促します。ここではアイデアの批評は差し控えます。主たる目的は、数多くの可能なオプションをつくり出すことにあります。創造性を促すために積極的かつ建設的な表現を使います。また、ブレインストーミング法やマインドマッピング法などを活用しましょう。

　次に可能なオプションを絞り込みます。そのための方法はいろいろあります。例えば、オプションに優先順位をつけたり、標準的なオプションと比較したり、異なるオプション同士を合体させたり、オプションをグループ化したり、分類したりするなどです。

ファシリテーターとしては、全員を話し合いに参加させ、意見を発表する機会を与えるようにしなくてはなりません。以下はその表現例です。

例 1

- Could you explain why you feel...is the best option?
  （〜がベストなオプションだと感じる理由をご説明いただけますか。）
- May I ask why you feel...is the best option?
  （〜がベストなオプションだと感じる理由をお聞きしたいのですが。）
- Are there any more options we should consider?
  （まだほかに考慮すべきオプションはありますか。）
- Does everybody feel their point of view has been heard?
  （全員、自分の意見を聞いてもらいましたか。）

アサーティブ・コミュニケーション・スキル（74ページ）を使って、あなたの好む考えと、なぜそう思うのかを表現しましょう。以下がその例です。

例 2

- I feel that the best solution is....
  （ベストな解決策は〜だと思います。）
- I agree with John's opinion; the...solution is the best option.
  （ジョンさんの意見に賛成で、〜という解決策がベストなオプションだと思います。）
- I understand that solution is cheaper. However, I feel that....
  （その解決策の方が安く済むのは分かりますが、私は〜だと感じます。）
- I recognize the importance of cost. On the other hand, I feel that....
  （コストの重要性は認識していますが、その一方で〜だと感じるのです。）

ファシリテーターがグループを最終決定に導くためのツールや方法はたくさんありますが、全員が最終決定をサポートするという意味で、できるだけコンセンサスを得るようにします。しかしこれはいつでもできるわけではないので、時間制限を課す、採決する、最大多数の意見に従わせる、といった修正コンセンサス方式を使う必要があるかもしれません。修正コンセンサス方式などの意思決定の方法については、100ページを参照してください。

High-Bridge Method
ハイブリッジ法

　ハイブリッジ法とは、問題把握、課題決定、目標設定、解決計画のステップを通して、発散思考と収束思考を繰り返して問題解決を目指す手法です。短時間で問題解決の全ステップを展開できるため、小グループがとる手法として有効です。ハイブリッジ法は、以下のステップで進められます。

● **問題把握**
　▶ 問題が起きている原因を「カードBS法」(カードを用いたブレインストーミング法)でカードに書き出す(原因カード)。
　▶ その際、問題に関連することを「多角的に具体的に」、「主語と述語を入れた文章で」、「できるだけ数量化して」、「単なる事実だけではなく、原因を含むようにして」書き出すようにする。
　▶ 記入された原因カードの中から、重要なカードを15〜20枚程度選ぶ。
　▶ 選ばれたカードを次の「因果分析法」で関連付けし、原因を追求する。図解化のために大きめの白紙(B4以上)を用意する。

　＜因果分析法＞
　　・原因カードの中から、重要なものを1枚選び中央に置く。
　　・ほかのカードからその「原因」と思われるカードを選び左側に置き、矢印(→)でつなぐ。
　　・新たに「原因」と思われることが見つかったら、カード化してその左側に置く。
　　・「結果」と思われるカードは右側に置く。
　　・このようにして次々と原因カードをつないでいく。

● **課題決定**
　▶ 問題を明確に表現する。課題には、解決の方向を示した表現を用いる。

● **目標設定**
　▶ 原因カードの中で、問題解決に重要と思われるものを選び、その表現を「〜する」というように書き改めて「目標」とする。または、今後こうあるべきと思う目標を考えて書き出す。

● **解決計画**
　▶ 再びカードBS法を用いて、目標ごとに解決アイデアをカードに書き出す。
　▶ 解決アイデアのカードを用いて、目標ごとに解決の具体策を「ストーリー法」(テーマや案を流れとしてまとめる方法)で白紙上に展開する。

　ハイブリッジ法は、問題解決のステップを発散思考と収束思考を繰り返して行うので、問題解決の基本をマスターする上で有効な手法です。詳しくは、高橋誠『実戦 企画能力をグングン高めるステップ50』を参考にしてください。

3 Creating Ideas
アイデア創造ミーティング

アイデア創造ミーティングに関して、2つの重要なポイントがあります。

第1点は、最初から完全なアイデアというものはほとんどありませんから、あなた自身が出すアイデアと、他の参加者が出すアイデアを、どちらも正しいものとして取り上げることです。

第2点は、そのアイデアが解決につながるかどうか見ることです。

ファシリテーターは、参加者がリラックスした状態で意見などを聞いて理解できるような、アイデア創造のためにふさわしい雰囲気をつくらなければなりません。また、参加者に、自分のアイデアが批判されたり、公に否定されたりすることがないと感じてもらえるようにしなければなりません。

参加者にアイデアを共有させ、そのアイデアに基づいて議論してもらい、アイデアをよりよいものにします。決して他の参加者のアイデアを批判させたり、否定させたりしてはいけません。

例

- Tell me more about your idea.
  （あなたの考えをもっとお聞かせください。）

- Here's one way we could do it.
  （これが今できる方法です。）

- Let's do it better [differently].
  （もっとうまく〔違った風に〕やりましょう。）

- Let's figure out a way to pay for it.
  （その代金を支払う方法を考えましょう。）

- Let's combine ideas and see how that works.
  （考えを組み合わせて、どう機能するか見てみましょう。）

- How can we make it work?
  （どうすればそれを機能させることができるでしょうか。）

- Let's work out the best timing.
  （最良の時期を考えましょう。）

- First, let's isolate what works, and then look at concerns.
  （まず、どの部分がうまくいっているか把握しましょう。次に、心配な部分を見てみましょう。）
- Great! Let's figure out how to make it work.
  （素晴らしい。それをどうやって機能させるか考えましょう。）
- Great idea, how can we make it work for us?
  （素晴らしいアイデアです。それをどう私たちに機能させられるでしょうか。）
- I agree with...but I need help in understanding....
  （〜には同意しますが、…を理解するためには助けが必要です。）
- I have a better idea. How about...?
  （もっとよいアイデアがあるのですが、〜はいかがですか。）
- Building on your idea, what if we...?
  （あなたのアイデアをさらにふくらまして、〜したらどうでしょうか。）
- Let's connect this back to the problem.
  （問題にこの件を再度つなげてみましょう。）

4 Project Kickoff
プロジェクト立ち上げミーティング

　プロジェクト立ち上げミーティングは、プロジェクトに関連するミーティングの中で最も重要なものです。すべてのプロジェクト・チームが初めて一堂に集められ、プロジェクト・マネジャーがそのチームと会い、チームのコミットメントを得る絶好の機会だからです。プロジェクトのスポンサーおよびプロジェクト推進委員がプロジェクトを実行に移す決定をし、プロジェクトの計画を承認したあと、プロジェクト立ち上げミーティングは始まります。

　プロジェクト立ち上げミーティングの目的は以下の通りです。

- ■プロジェクトのゴールと目的を明確にし、理解する
- ■個々の役割と責任を知る
- ■他のプロジェクトとの相互の関連性を知る
- ■プロジェクト・チーム内の主要連絡先を知る
- ■プロジェクトの成功を確約する

　プロジェクト立ち上げミーティングを通して、プロジェクト・メンバーはプロジェクトの方法や理由を理解していきます。そのため、プロジェクト立ち上げミーティングには、プロジェクトの円滑な進行を手助けする機能もあるといえます。参加者には、以下の人たちが含まれます。

- ■プロジェクトのスポンサー
- ■プロジェクト・マネジャー
- ■サブ・プロジェクト・マネジャー
- ■資産のオーナー
- ■その他、プロジェクトにかかわるキー・パーソン

　またプロジェクトのスポンサーとプロジェクト・マネジャーは、顧客のプロジェクト・チームからもキー・パーソンを招聘することを考慮しなければなりません。これは、お互いの雰囲気をほぐし、プロジェクトの目的と重要性を理解する絶好の機会となります。

　顧客の組織と、実際にプロジェクトを実行する組織からは、重役が顔を見せなければなりません。彼らはおそらく午前中遅い時間に参加し、参加者の士気を高めるスピーチをし、ランチの時間にプロジェクト・メンバーと会合することになるで

しょう。

　ここでは、準備こそが成功の鍵となります。

　プロジェクト・マネジャーとその指揮下のプロジェクト・チームには、プロジェクト立ち上げミーティングを計画する責任があります。プロジェクト立ち上げミーティングはある種のイベントと捉えられるべきもので、参加者が重要だと感じられるようなものでなければなりません。

　通常の職場から離れた、適切な場所を会場に選びます。ミーティングには最低でも1日は時間をとるべきです。部屋は、動き回れるくらいの十分な広さを持った、快適な部屋がよいでしょう。ビデオやOHP、スクリーン、照明など必要な設備すべてが備えられており、ちゃんと使えるかテストされていることが大切です。プロジェクト用のキャップやTシャツ、チームビルディング用のゲームや賞品も準備しておきましょう。

Tips for Project Kickoff Meetings Agenda
プロジェクト立ち上げミーティングのアジェンダ項目のヒント

▶ スポンサーの紹介とあいさつ——プロジェクト・マネジャーが、当日の日程、アジェンダ、ミーティング運営上のルール（携帯電話の電源オフ、休憩や軽食の時間、トイレの場所など）を説明します。

▶ 参加者の自己紹介と発表——参加者が自己紹介し、それぞれの関心と期待について発表します。各自3分程度が望ましいでしょう。

▶ プロジェクトの概要の説明——スポンサーが、プロジェクトの背景、顧客、成功することの重要性、将来の可能性、顧客のニーズと期待、プロジェクトの全体像などを説明します。

▶ プロジェクトのゴールと目的の説明——プロジェクト・マネジャーが、プロジェクトのゴールと目的、マイルストーン（重要な時点）、成功のために重要と思われる要因を説明します。

▶ プロジェクトの組織図の発表——プロジェクト・マネジャーが、チームの各メンバーの役割と責任を併記した組織図を発表します。

▶ プロジェクトの計画の発表——プロジェクト・マネジャーがプロジェクトの計画を発表します。多くの場合、主要な活動とマイルストーンを示した棒グラフですが、プロジェクトの計画書はメンバー全員に配布され、議論されるべきです。

▶ プロジェクトの方法とツールの説明——プロジェクト・マネジャーが、プロジェクト管理モデル、書類の作成方法、作業工程、進行状況のモニター方法、リスク管理の方法、

変更要求の管理の方法について説明します。
- ▶ 作業方法とツールの説明——オペレーション・マネジャー（または相当する人物）が、作業の実施方法を説明します。直接雇用者と下請け会社、どちらを利用するかといったことや、特別な準備が必要か、品質をどう管理するかといったことです。
- ▶ 報告・伝達方法の説明——プロジェクト・マネジャーが、契約に定められた報告方法や、プロジェクトに関するデータの収集方法について説明します。
- ▶ リスクの分析——プロジェクト・マネジャーまたは外部のファシリテーターが、グループのリスク査定を実行します。査定が行われる形式は様々ですが、通常は外部のファシリテーターによって行われます。
- ▶ ミーティングの要約——プロジェクト・マネジャーが、当日のミーティングの内容を要約し、目標達成期日と行動計画を参加者全員に再度述べます。
- ▶ チームビルディング活動——プロジェクト立ち上げミーティングは、人事・人材部門の担当の下で、ある種のチームビルディング活動をもって終わらせましょう。これは、チームワークの向上を目的とした、頭と体両方を使うレクリエーションの形をとるのが一般的です。経験豊富なファシリテーターによって、最も効率よく運営されます。

5 Project Review
プロジェクト振り返りミーティング

　プロジェクトが進行する間、様々な段階、または一定の間隔でプロジェクト振り返りミーティングを開く必要があるでしょう。プロジェクトの規模によっては、完遂のために、毎日のミーティングが必要となるかもしれません。こうしてミーティングを繰り返すことで、そのフォーマットとアジェンダがしっかりと形づくられていくことになります。参加者の便宜を図り、ミーティングに一貫性を持たせるために、プロジェクト振り返りミーティングは一定の間隔で開くことが大切です。

　プロジェクトでは、通常、業務をフェーズ(区分・段階)ごとに分けることによって処理がしやすくなります。各フェーズでは、その前のフェーズでもたらされた結果や根拠に基づいてプロジェクトに関する知識を増やし、プロジェクトのリスクを減少させます。そして、次のフェーズに移る際には、プロジェクトの状況を評価し、プロジェクトが次のフェーズをサポートするための十分な土台を確立できたかどうかを判断します。開発プロジェクトにおけるフェーズの進展具合は、特に組織的参加とコストの増加によって示されます。このように、フェーズの移行期というものは、プロジェクトを推し進めるのか、中断するのかを決めるチェックポイントと、プロジェクトの安全性を評価する場としての役割を果たしています。これにより、拡大し過ぎてしまったプロジェクトは引き戻すことができ、路線から外れてしまったプロジェクトは再度筋道を立てることができ、失敗しそうなプロジェクトは余分な資源・資金を浪費する前に中止することができるのです。

　さらに、定例の振り返りミーティングに加え、次のフェーズに移行する前には、各フェーズの完了度合を確認するため、重要時点ごと、あるいはフェーズごとに振り返りミーティングを予定するのも有益でしょう。

　こうした振り返りミーティングをファシリテートするためには、アジェンダにアンケートを添付し、参加者に記入してもらうことが役立ちます。記入してもらったアンケートは、ミーティングの最低1週間前までに送り返してもらいましょう。これにより、アンケートを分析し、報告するための時間が持てることになります。アンケートの質問は、プロジェクトの内容に即したものにします。以下が有益サイトです。

http://www.projectconnections.com/

1. How clearly defined were the objectives for this phase of the project?
   （プロジェクトの本フェーズにおける目的はどの程度明確になっていましたか。）
   ☐ very   ☐ somewhat   ☐ not very   ☐ not at all

2. How clearly defined were the objectives for your work?
   （あなた自身の業務の目的はどの程度明確になっていましたか。）
   ☐ very   ☐ somewhat   ☐ not very   ☐ not at all

3. How clear were you on your role in the project?
   （プロジェクトにおけるあなたの役割はどの程度明確になっていましたか。）
   ☐ very   ☐ somewhat   ☐ not very   ☐ not at all

4. How adequately, do you feel, were you involved in project decisions?
   （プロジェクトの決定に、あなたはどの程度適切に関与できたと思いますか。）
   ☐ very   ☐ somewhat   ☐ not very   ☐ not at all

   If not, what decisions did you feel left out of?
   （もし適切に関与できたと思わないなら、どんな決定で取り残されたと思いますか。）

5. How efficient and effective were project team meetings?
   （プロジェクト・チームのミーティングはどの程度効率的・効果的でしたか。）
   ☐ very   ☐ somewhat   ☐ not very   ☐ not at all

   What would you change?
   （どんな点を変えたいですか。）

6. How efficient and effective were technical meetings?
   （テクニカル・ミーティングはどの程度効率的・効果的でしたか。）
   ☐ very   ☐ somewhat   ☐ not very   ☐ not at all

   What would you change?
   （どんな点を変えたいですか。）

7. How well, do you feel, did the executives support this project?
   （このプロジェクトに対する管理職のサポートはどうだったと思いますか。）
   □ very   □ somewhat   □ not very   □ not at all

8. Do you feel appreciated, recognized and rewarded for your efforts?
   （あなたの努力は正当に評価され、認められ、報いられていると思いますか。）
   □ very   □ somewhat   □ not very   □ not at all

   What, if anything, has been lacking?
   （不足しているものがあるとしたら何ですか。）

9. To what degree do you feel the entire team is committed to the project schedule?
   （プロジェクトのスケジュールに対して、チーム全体がどの程度打ち込んでいると思いますか。）
   □ very   □ somewhat   □ not very   □ not at all

   What, if any, issues are there?
   （問題があるとしたら何ですか。）

10. What communication, organization, structural problems in general were encountered, and what can we do better in the next phase?
    （一般的に、どんなコミュニケーション上、組織上、構造上の問題に遭遇しましたか。また次のフェーズをよりよくするために何ができるでしょうか。）

図19　プロジェクト振り返りミーティングのためのアンケートのサンプル

※上記のサンプルには便宜上、日本語訳を英文の下に加えてありますが、実際には、英語もしくは日本語のどちらか一方のみでアンケートが作成されることが多いようです。

6 Project Conclusion
プロジェクト締めくくりミーティング

　プロジェクトの始まりを公式に示すため、プロジェクト立ち上げミーティングを開いたように、プロジェクト締めくくりミーティングを開いて、プロジェクトの終わりを公式に示すべきです。プロジェクトが重大な問題を抱えていたり、キャンセルされたりした場合は、これらは「プロジェクトの事後検討（事後評価）」と呼ばれることがあります。プロジェクトが成功しようが失敗しようが、あるいはその中間であったとしても、このミーティングから得られる価値はそれなりにあります。

　プロジェクト締めくくりミーティングを効果的なものにするためには、多くの方法があります。

Tips for Project Conclusion Meetings
プロジェクト締めくくりミーティングのためのヒント

▶ 外部のファシリテーターを活用します。多くの場合、特にプロジェクトが問題を抱えている場合、プロジェクト・チーム外のファシリテーターがいた方がグループにとっては快適であるようです。ファシリテーターが結果に対して利害関係を持たない場合、グループは、より正直に意見を言い合うことができます。

▶ 参加者全員に、ミーティングの目的を前もって明確に通知しておくようにします。

▶ アジェンダを前もって配布しておきます。参加者全員が前もって準備をし、議題を理解していれば、より時間を有効に活用できることになります。

▶ チームメンバー全員が個人として、また集団として、学ぶためにそこにいることを理解する必要があります。

▶ ミーティングを単なる作業評価の場として扱わないようにします。参加者全員が、自分が実行し、考えたことを自由に述べ合える場であることが必要です。これにより、各人が今後の作業を効果的にするにはどうしたらよいかを学ぶことができます。

▶ 何が起きていて、何が期待されているのかに注目します。ファシリテーターは、何を達成するのかや、何が本来求められていたのかが理解できていなければ、何を向上し改善したらよいかを発見することはできません。まず、プロジェクトで起こるはずだったことをリストアップするために率直な議論をします。各ゴールについて、実際に起きたことを書き出します。問題だけを見ていてはいけません。大切な行事が予定通りに行われたのなら、それらも同じように記述します。

- ▶ プロジェクトが問題を抱えてしまった場合、議論は否定的な方向へ進んでしまいがちです。議論が前向きであるように注意を払います。
- ▶ プロジェクトで起きたことが、参加者によって異なった見方をされている場合は、コンセンサスを得るための共通の基盤を見つけるようにします。正しいか間違っているかは問題ではありません。彼らの理解を求めることが大切です。彼らが実際にかかわっていた作業に注目すればよいでしょう。

7 Negotiation
ネゴシエーション・ミーティング

ネゴシエーションとは、それぞれの立場が異なっている際に、双方が受け入れられる合意をつくり出すコミュニケーション・プロセスのことをいいます。言い換えれば、解決すべき争点や違いがある場合に、ネゴシエーション・ミーティングを計画すべきものといえます。以下の3つのフェーズは、ネゴシエーション・ミーティングを計画し進行するために役立つでしょう。

一般的にネゴシエーション・ミーティングは、以下の3つのフェーズに沿って進められます。

Phase 1	ネゴシエーションの事前準備
Phase 2	ネゴシエーションの実施
Phase 3	合意事項の履行

Phase 1 Pre-Negotiation Planning
ネゴシエーションの事前準備

効果的なネゴシエーション・ミーティングを行うための鍵は、事前準備にあります。自分のネゴシエーションのゴールを設定し、相手のゴールを明確に理解するようにします。"The negotiation is successful if...."（もし～だったら、このネゴシエーションは成功したといえます。）というフレーズを使って、自分のゴールを明確にしましょう。以下が例です。

- The negotiation is successful if we can receive payment for the outstanding invoices and deliver the new furniture in time for our client to open their new restaurant.
  （もし、未払いの請求を払っていただき、顧客のレストラン開店に間に合うよう新しい家具を納品できれば、このネゴシエーションは成功したといえます。）

立場（何を望んでいて、何を要求しているのか）と利害（真に必要としていること）を明確にします。すべての当事者の利害を満足させられると考えられるオプションを準備しましょう。

合意に至らない場合に備えて、代案を考慮しておくことも役立ちます。自分が所属する業界や、ネゴシエーションのタイプによっては、追加情報が必要だということ

が分かるかもしれません。

　キーポイントは、準備をしっかり行うことによって、ネゴシエーションがよりコントロールしやすくなり、ゴールの達成がしやすくなるということです。

Phase 2　Conducting Negotiation
ネゴシエーションの実施

　協調的（ウィン・ウィン）なネゴシエーション・ミーティングの目的は、双方の利害が達せられるように問題を解決することです。ネゴシエーションを以下の4つのステージに分けて理解することは、ネゴシエーションをコントロールし、協調的な雰囲気をつくり、ウィン・ウィンな合意を達成するための大きな助けとなるものです。

◆Stage 1: Opening Statements
　ステージ1：オープニング・ステートメント

　すべてのネゴシエーションにおいて、最初のステージでは、相手を知り、相手のゴールを理解することが要求されます。ネゴシエーションは、目的と背景およびゴールについて述べることから始めます。オープンで、協力し合える雰囲気をつくるようにします。

Tips for Opening Statement
オープニング・ステートメントのためのヒント

▶相手に渡すためのオープニング・ステートメントの写しを用意します。

▶ネゴシエーションの前に、相手にオープニング・ステートメントの写しを送っておきます。

▶オープニング・ステートメントを準備する時間がない場合は、ホワイトボードなどにキーポイントを書き出します。

▶アジェンダを利用します。注意深く考えられ、準備されたアジェンダは、ゴールに焦点を合わせ、議題に沿った話し合いを続けるために有益です。ネゴシエーションの準備の段階から、アジェンダを中心に進めていこうとすることが大切です。

例

🔵50 Stating Purpose　目的を述べる

- Before we start, I would like to clarify the background and purpose of our meeting today.
（始める前に、本日のミーティングの背景と目的を明確にしておきたいと思います。）

- In our meeting today, I would like to resolve the following points.
（本日のミーティングでは、以下の点を解決したいと思います。）

- I have three subjects for our discussion today.
（本日は3つの議題について話し合いたいと思います。）

- The purpose of this meeting is to....
（このミーティングの目的は〜です。）

🔵51 Giving Background　背景情報を伝える

- As you may already know, the problem with the computer is....
（すでにご存じのことと思いますが、コンピューターの問題というのは〜です。）

- If it is all right with you, I would like to start by describing what happened last week.
（もしよろしければ、先週何が起きたのかという説明から始めたいと思います。）

- I understand that you are concerned that your latest order has not yet been delivered, and I would like to explain the reasons for this.
（貴社の最新のご注文品がまだ届いていないことを懸念されていると存じますので、その理由をご説明したいと思います。）

- It seems there has been a misunderstanding, and so I would like to start by clarifying what it says in the contract.
（どうも誤解があるようですので、契約書に記されていることを明確にすることから始めたいと思います。）

🔵52 Clarifying Goal or Expectation　ゴールや期待を明確にする

- So I would like to reach an agreement that will enable us to quickly recover from this situation and complete the construction of the main building on schedule.
（ですから、この状況から速やかに立ち直り、メインのビルをスケジュール通りに完成できるような合意を得たいと思います。）

- I sincerely hope that by the end of our meeting today we can agree on how to solve the problem.

(本日のミーティングの終わりまでに、その問題の解決方法について合意が得られることを心から願っています。)

- We must complete this project by the end of the month and within the allocated budget.
(私たちは割り当てられた予算内で、このプロジェクトを今月末までに完了させなければなりません。)

- So we have to change our delivery system by the end of next month in order to get our clients' orders more easily and smoothly.
(そこで、顧客からより容易かつ円滑に注文を受けられるように、来月末までに配送システムを変更しなければなりません。)

- We must have the system back online by 3:00 p.m.
(私たちは、午後3時までにオンライン・システムを復旧させなければなりません。)

◆ **Stage 2: Positions and Interests**
ステージ2：立場と利害

相手の見方と、相手が真に必要としていることを、真剣に理解するよう心がけます。相手が表面上欲していること（立場）にとらわれず、なぜそれを欲するのかという、背後にある理由（利害）を見つけ出さなくてはいけません。

Tips for Positions and Interests
立場と利害のためのヒント

▶ "Can I ask...?" といったスタイルの質問で、相手に真の利害を表明させます。
▶ ゆっくりしたペースで自分が理解したことを繰り返したり、重要な情報をホワイトボードに書き出したりします。
▶ 自分が相手を理解しようとしていることが、相手に伝わるように努めます。
▶ "Could you explain that in more detail?"（その点をもっと詳しく説明していただけますか。）というような質問を用意しておきます。
▶ 相手の利害が確認できたら、こちらのオプションと戦略を見直すために休憩をとりましょう。

例

CD TRACK 53 **Asking Interests** 利害を尋ねる（Can I ask...? といったスタイルの質問を使う）

- Can I ask the reasons why you want to change your order?
(注文を変更なさりたい理由をお聞きしたいのですが。)

- May I ask how you calculated that figure?
  (その数値がどのように計算されたのかをお聞きしたいのですが。)

- Can I ask what you mean by…?
  (〜とおっしゃった意味をお聞きしたいのですが。)

- Could you explain the reasons behind your request?
  (要求の背景にある理由をご説明いただけますか。)

- May I ask if you have considered…?
  (〜を考慮いただけたかどうかお聞きしたいのですが。)

Confirming Interests　利害の確認（言い換えや質問をして確認する）

- Let me see if I understand your real concerns about my recommendation.
  (私の案に対して貴社が本当に心配されている点を私が理解できているか、確認させてください。)

- It seems there are three reasons why you find it difficult to accept our request. They are…. Is that right?
  (貴社が私どもの要求を受け入れるのが難しいとお考えになる理由は、3つあると思われます。それらは、〜です。間違いないですか。)

- I see. So the reason you need delivery is because of your accounting requirements. Have I understood correctly?
  (なるほど。そうすると、どうしても納品してほしい理由は、経理上の要求なのですね。私は正しく理解していますか。)

- Do you have any other items we have to cover in this meeting?
  (このミーティングでカバーしなければならない項目はほかにありますか。)

◆Stage 3: Discussing Options
ステージ3：オプションを話し合う

　オプションを提案したり、提案を求めたりしましょう。双方が受け入れられる合意を達成するために、オプションを話し合います。不合意・不一致を克服するためにアサーティブ・コミュニケーション・スキル（74ページ）を使いましょう。

> **Tips for Discussing Options**
> **オプションを話し合うためのヒント**
> ▶ 相手の人物や立場ではなく、利害や問題に焦点を当てましょう。
> ▶ 自分にとっては価値が低くても、相手にとっては高い価値となる譲歩や取引といったものを探すようにしましょう。
> ▶ オプションには説得力のある説明をしましょう。そのオプションがいかに相手の利害を満足させるかを示します。あなたのオプションが公正で、相手の利害を満足させるものだということを示すために、事実や証拠、これまでの成功例、切り札となる情報を出すといった説得テクニックを使いましょう。

オプションを提案したり、提案を求めたり、不合意を克服したりするために、アサーティブ・コミュニケーション・スキルを使いましょう。以下はその例です。

例 (CD TRACK 55)

- I understand the reason that you have not paid the outstanding account is due to your current cash flow situation.
  Nevertheless, we cannot deliver until we have received at least some of the payments for the outstanding accounts.
  Therefore, I would like to suggest a partial payment of the outstanding accounts as soon as possible so that we can then deliver the furniture in time for your planned opening. How do you feel about my proposal?
  （未払い金をお支払いいただけていない理由が、現在の貴社のキャッシュフロー状況によるものだということは理解できました。
  しかしながら、その未払い金のうち最低でも一部をお支払いいただくまでは、納品はできかねます。
  ですから、できるだけ早く未払い金の一部をお支払いいただくことで、貴社が計画しているオープンに間に合うように家具を納品できる、ということをご提案したいのです。この提案をどう思われますか。）

◆Stage 4: Confirming Agreements
ステージ4：合意を確認する

すべての合意事項を確認しましょう。場合によっては、不合意事項を確認することも必要かもしれません。また、合意事項を履行するための行動計画を理解し、確認するための声明を書き出しておきましょう。

例

🎧56 Confirming Agreements　合意を確認する

- May I write the details of our agreement on the whiteboard?
  （合意した項目をホワイトボードに書き出したいのですが。）

- I would like to confirm the details of our agreement.
  （合意した項目を確認したいのですが。）

- Before we finish our meeting, let's make sure we both understand the areas of agreement.
  （ミーティングを終える前に、双方が理解している合意事項の範囲を確認しましょう。）

- Have I covered all the details of our agreement?
  （合意した項目をすべてカバーしたでしょうか。）

🎧57 Confirming Disagreements　不合意を確認する

- I would like to summarize the points where we have not yet reached an agreement.
  （まだ合意に至っていない点について要約したいと思います。）

- I would like to confirm the reasons you cannot accept our proposal.
  （貴社が私どもの提案を受け入れられない理由について確認したいと思います。）

- Before we finish our meeting, let's make sure we both understand the points we have agreed on and the areas we need to discuss further.
  （ミーティングを終える前に、これまで合意した点と、さらに話し合わなければならない領域を双方が理解できているか確認しておきましょう。）

🎧58 Confirming Actions　行動計画を確認する

- May I just confirm who is responsible for drafting the contract?
  （契約書の草案の作成は誰が担当するのか、確認したいのですが。）

- I'd like to confirm who is responsible for the design change and when the action will be completed.
  （誰が設計変更の責任を持ち、いつまでに完了させるのかを確認しておきたいと思います。）

Phase 3 | Implementing Agreements
合意事項の履行

　合意事項を履行させるために、相手の地域文化を踏まえた適切な行動をよく考慮しましょう。日本では「よりよいビジネス関係を築く」ことを中心に話しますが、アメリカでは、「ビジネスに集中する」ことを中心に話します。表現こそ違いますが、どちらの文化においてもビジネスを成功させ、関係を向上させたいという願いは同じです。

　もしあなたが日常的にネゴシエーションを行い、国際的なビジネスに見合ったレベルまでそのスキルを向上させたいとお考えでしたら、本書の姉妹編『英語ネゴシエーションの基本スキル』(小社刊)を参考にしてください。

8 Sales
セールス・ミーティング

Openings
オープニング

　セールス・ミーティングを開始する前に、見込み客のビジネス、産業、マーケット、またそのマーケットの主要な商品、売れている製品やサービス、といったものを調べて精通しておきます。また、あなたの会社の製品やサービスに関するニーズと、見込み客が受ける恩恵を明確にしておきます。

　ミーティングの開始時には、見込み客がその製品やサービスを必要とする理由を見つけ出します。

　オープニング・ステートメントでは、製品やサービスの概略と、それを購入することによって得られる利点を簡単に説明します。

　以下の質問表現を使って、見込み客がなぜその製品やサービスを欲しいのか明らかにします。

例1

- In order to see if our product matches your requirements, may I ask a few questions?
  (私どもの製品が貴社の要求を満たしているか確認するため、いくつか質問させてください。)

- Can I ask the reason why you need....
  (あなた方が〜を必要としている理由をお聞きしてもよろしいですか。)

- May I ask what you are looking for from....
  (〜に何をお求めになっているのかお尋ねしたいのですが。)

- May I ask if you have specific requirements or special needs?
  (何か具体的な要求や、特別なニーズはおありですか。)

- Can I just clarify the criteria you will be using to evaluate our product?
  (私どもの製品を評価するために貴社が使う基準を明確にさせていただけますか。)

　見込み客の発言をもう一度繰り返したり、自分の言葉で言い換えたりして、相手のニーズを理解できているか確認することは非常に大切です。

例 2

- If I understand correctly, you need…. Is that right?
  (私が正しく理解しているとすれば、貴社は〜を必要としているのですね。間違いないですか。)

- So the reason you need our product is to…. Is that right?
  (では、貴社が私どもの製品を必要としている理由は〜ですね。間違いないですか。)

- May I just confirm my understanding? You want…. Is that right?
  (私が理解できているか確認させてください。貴社は〜が欲しいのですね。間違いないですか。)

- So your most important concern is…. Have I understood correctly?
  (では、貴社が最も関心を持っていることは〜ですね。私は正しく理解できていますか。)

- You will be evaluating our products based on XYZ criteria. Is that right, have I understood correctly?
  (貴社はXYZ基準で弊社の製品を評価するのですね。間違いないですか。私は正しく理解できていますか。)

Showing Benefits
利点・恩恵を伝える

　見込み客に対して、あなたの会社の製品やサービスが、いかに彼らのニーズに合っているかを示しましょう。
　そのためには、製品やサービスの「特徴」に加え、「利点」を説明します。多くのセールスパーソンは"This new computer has a 100GHz Plutonium Powerman Processor!"（この新しいコンピューターは、100GHzのプルトニウム・パワーマン・プロセッサーを内蔵しています。）というように、製品やサービスの特徴はうまく説明します。しかしこれはあくまで特徴であり、それ自体は別段興味を引くことではなく、見込み客に「だからどうなの」といった疑問しか残しません。
　ですから、製品やサービスの「特徴」に加え、「利点」および「用途」を説明し、それが彼らのニーズを満たすものであることを示すことが大切なのです。ここで大切な表現として、"which means that…."、"This means that…."、"You can use this for/to…."があります。

例 1

- This new computer has a 100GHz Plutonium Powerman Processor, which means that you will be able to calculate your monthly financial statements ten times faster than you can with your current computer.

（この新しいコンピューターは、100GHZのプルトニウム・パワーマン・プロセッサーを内蔵しています。ということは、毎月の財務報告書を現在の10倍の速さで計算することができるということなんです。）

- This new relay is 20% faster than other relays. This means that you can significantly increase the speed of your switching systems.

  （この新しいリレイ〔中継装置〕は、他社のリレイよりも20パーセント速いのです。つまり、貴社の切り替えシステムのスピードを驚くほど向上させることができるということなのです。）

- Our new laser printer has an "Economic Print Function" that lowers the cost of printing by as much as 50%. You can use this function for proofreading documents.

  （我が社の新しいレーザープリンターは、印刷コストを50パーセントも削減する「経済的印刷機能」を搭載しています。この機能は書類の校正に活かせます。）

顧客のニーズを確認し、製品やサービスの「恩恵」と合致させましょう。以下はその例です。

例2

- May I confirm my understanding of what you are looking for from a laser printer? It seems that you have three requirements. They are: speed, quality and good price. To be more precise, I understand that you need to be able to print at 12 pages per minute, with a resolution of 2400 dots per inch, and a price of under $2300. Is that right? Did I understand correctly?
OK. Let me show you how our TX-101 Laser printer completely matches your needs. The TX-101 prints at 15 pages per minute at a resolution of 2400 dots per inch. This means that you can print documents both faster than your requirements and at a high quality. Also, the price of $2,100 comes in $200 lower than your budget. You can use the extra $200 to buy some additional software, or perhaps you would like to use the money you save to increase the RAM of your computer which can also enhance printing speed. Can I ask how you feel about this?

  （貴社がレーザープリンターに何を求めているのか、私が理解できているか確認させてください。貴社には3つの要求があるように思えます。スピード、品質、そして低価格です。より正確に言うと、貴社が求めているのは1分間に12ページの印刷ができ、2400dpiの解像度を持ち、2300ドル未満の価格のプリンターであると思います。間違いありませんか。私は正しく理解できていますか。
  では、私どものTX-101レーザープリンターが、見事にその要求にお応えできることをお見せしましょう。TX-101は1分間に15ページ、2400dpiの解像度で印刷ができます。すなわち、貴社の要求よりも速く、しかも高画質で書類の印刷ができるということです。また2100ドルという価格は、貴社の予算よりも200ドルも安いことになります。この200ドルで追加のソフトウェアを購入することもできますが、もしかすると、浮いた分のお金はお使いのコンピューターのメモリを増設するのに使いたいとお考えかもしれませんね。そうすると、印刷スピードをさらに上げることも可能ですから。いかがでしょうか。）

TX-101レーザープリンターが数多くの特徴を持っているにもかかわらず、このセールスパーソンはプリンターの持つすべての特徴を述べるのではなく、単純に顧客のニーズに合った点だけを説明しています。また200ドルで追加のソフトウェアを購入するという、さらに有益な使い方をも紹介しています。

　そして、見込み客がこちらの製品やサービスを欲しているかどうかを明らかにする言葉で、セールスを締めくくっています。最後のところで"Can I ask how you feel about this?"（いかがでしょうか。）という質問をしていますね。これは、見込み客がこちらの製品やサービスを欲しているかどうかを明らかにするためのひとつの方法です。他の言い方としては以下のような例があります。

- This is the kind of printer you're looking for, isn't it?
（これが貴社の求めているプリンターということですよね。）

- Would you agree that this printer matches your needs?
（このプリンターが貴社のニーズに合っていることに同意していただけますか。）

- Is that all right? Is there anything else that you are looking for from a printer?
（それでよろしいですか。これ以外にプリンターに求めるものはありますか。）

Overcoming Objections
ためらいや反対を克服する

　見込み客があなたの説明で満足したのなら、注文を聞いて終わりにします。しかし、もし見込み客が満足しない場合はどうしたらよいでしょうか。

　見込み客がある点で満足しない反応を見せたら、その点を克服することが大事です。販売用語でこのことを**オブジェクション・ハンドリング**と呼びますが、これをうまくできるかどうかが、平均的なセールスパーソンか、優れたセールスパーソンかの違いとなります。一般的な反対文句と、それを克服する有益なテクニックを以下に示しますので、よく学んでおきましょう。

　見込み客が、「値段が高い」や「色が気に入らない」あるいは「納期が遅い」といったためらいを示したら、最初にすべきことは、"Apart from these points, is there anything else that concerns you?"（そうした点以外に何か心配なことはありますか。）という質問をすることです。

　もし見込み客が「それ以外にはためらいはない」と言ったら、次に"If I could give you a solution to these points, would you go ahead and place an order?"（もし

そうした点に対する解決策を提供できたら、話を進めてご注文いただけますか。）と尋ねてみます。おそらく見込み客は"Yes"と答えるでしょう。そうなったら、見込み客が不満に思っているポイントを書き出し、すべてのポイントに答えて相手が満足するまで進めていきましょう。

　それでは、見込み客が示す最も一般的なためらいや反対と、それらを克服するための表現のサンプルを以下に見ていきましょう。

＜ためらいや反対を克服するための表現のサンプル＞

Example 1

- **Potential customer:**
I'm not sure if your service is really useful for me.
（貴社のサービスが本当に私に役立つものなのか、よく分かりません。）

- **You:**
Let me try to clear up any doubts that you might have about our service. Can I start by asking why you feel that way?
（あなたが弊社のサービスに抱える疑念を解消させてください。まず、どうしてそうお感じになるのかをお尋ねしたいのですが。）

Example 2

- **Potential customer:**
I would like to think about your offer.
（貴社の提案を考慮したいと思います。）

- **You:**
From what you have just said, it seems that there is something of concern to you. Is it something about our product, or possibly the after sales service? May I ask what it is that you are concerned about?
（おっしゃったことからしますと、何か心配な点がおありのようですね。それは弊社の製品についてですか、それともひょっとしてアフターサービスについてですか。何がご心配なのかお聞きしたいのですが。）

Example 3

- **Potential customer:**
Your product is new on the market, and so we would like to wait for some time before we buy it.
（貴社の製品は市場では新しいものなので、購入を決めるまでに少し時間をいただきたいのです。）

- **You:**
I can appreciate your concern. Nobody wants to buy a product that has not been fully tested and proven. However, please understand that this product has been carefully researched and developed by us in our laboratories in Japan. I can assure you that the product is completely ready for sale anywhere, in the

world. Also, I can give you the names of customers who are already using this product and are very satisfied with it. That being the situation, how much longer would you like to wait before benefiting from this product?

（ご不安なのは分かります。十分なテストと証明がされていない製品を買いたいと思う人は誰もいませんよね。しかし、この製品は私どもの日本の研究所で慎重に研究され、開発されたものであることをご理解いただきたいと思います。世界中どこでも売れるレベルに完全に達している製品であることを保証します。また、すでにこの製品を使い、満足いただいている顧客のお名前を出すこともできます。そのような状況ですが、この製品の恩恵に浴すまで、どれくらいお待ちになるおつもりですか。）

Example 4

● **Potential customer:**
I have some reasons for not ordering at the moment.
（今は注文しない理由があるのです。）

● **You:**
I see. If you have reasons not to order, then naturally you would want to think about it more. I can understand that. However, this product will bring you some excellent benefits, especially in saving time and costs on printing. To help me understand your reasons for not placing an order now, can I ask what areas you are particularly concerned about?

（そうですか。注文しない理由があるのでしたら、もっと考えたいとおっしゃるのも当然ですね。それはよく分かります。しかし、この製品によっていくつもの優れた利点、特に印刷時間とコストの節約がもたらされるのです。今注文をいただけないという理由が私にも理解できるように、特にどういった点が心配なのかお聞きしたいのですが。）

Example 5

● **Potential customer:**
I would like to think about it.
（考えてみたいと思います。）

● **You:**
Good. If you would like to think about it then you must be interested in my offer. I would like to help you with the answers to any questions that you might have but have not yet mentioned. So can I ask what is really of concern to you?

（結構です。考えてみたいということは、私どもの提案に興味を持っていただけたわけですね。まだ口には出されていないことで、疑問に思っていることがおありでしたら、それにお答えすることで力になれると思います。ですから、本当にご心配なことは何かをお聞きしたいのですが。）

Example 6

- **Potential customer:**
Your product is too expensive.
(貴社の製品は高すぎます。)

- **You:**
Can I ask why you think that? This product will save you both time and money and will help you to improve your productivity. We believe that it represents excellent value for money. So, can I ask why you feel this product is too expensive?
(どうしてそうお考えになるのかお聞きしたいのですが。この製品は時間とお金両方の節約になり、生産力の向上につながるものです。私どもは、この製品には費用に見合うだけの優れた価値があるものと信じています。ですから、なぜこの製品が高すぎるとお感じになるのかをお聞きしたいのです。)

Example 7

- **Potential customer:**
Can you lower your price?
(価格を下げていただけませんか。)

- **You:**
Can I ask why you want me to lower the price? Are you not satisfied with the value for money that this product will give you? Let me summarize the benefits that this product will bring you.
(どうして価格を下げてもらいたいのかをお聞きしたいのですが。この製品の費用対効果に満足していらっしゃらないのですか。では、この製品がもたらす利点について要約させてください。)

Example 8

- **Potential customer:**
I don't want to change my present system as I am happy with it.
(今使っているシステムに満足しているので、変えたいとは思いません。)

- **You:**
That's fine. I do not expect you to change unless it is for the better. However, I have already shown you that my offer has advantages over your present system. I understand that you are reluctant to change. Even so, if you do not change now, how would you increase productivity in three or six months from now?

(そうですか。変更することでよいことが起こらないなら、変えていただけることは望めませんよね。しかし、すでにご覧いただいたように、ご提案させていただいたものは貴社が今お使いのシステムよりも優れているのです。変えることに気が進まないのは分かります。ですが、もし今変えないとしたら、今後3カ月や6カ月で生産力をどうやって向上させるのでしょうか。)

成功するセールスパーソンになるためには、相手のためらいや反対を克服することが重要なのは明らかです。そのためには様々なテクニックがありますが、上述した表現例が皆さんのミーティングの場で役立つでしょう。自分の所属する業界や、セールス・スタイルによって、独自のテクニックを向上させてください。

Closings
クロージング

見込み客があなたの会社の製品やサービスを買いたいということを確認してから、セールスを終えます。

これまで、見込み客の利害を見いだし、製品やサービスの利点を説明し、いろいろなためらいを克服してきました。そして今、見込み客に注文をしてもらいます。セールスを終え、注文してもらうには様々な方法があります。

自分から注文を促すのは押し付けがましい、と思っているセールスパーソンもいますが、ほとんどの見込み客はセールスパーソンが注文を促してくることを期待しています。そこで、以下に注文を促すいくつかの方法を挙げます。

例

"Let's Shake Hands" Close　握手によるクロージング

これはおそらく最も基本的でパワフルなクロージングの方法です。世界中のどんな場所でも、どんな状況でも、どんな製品やサービスに対してでも有効です。やり方は簡単で、単に手を差し出して"Can we shake hands on this deal?"(この取引に対して握手しませんか。)と言うだけです。

Alternative Close　選択肢を示したクロージング

- Would you prefer delivery on Friday or next Monday?
  (納品は金曜日がいいですか、それとも来週の月曜日がいいですか。)

- Would you prefer an internal or an external modem?
  (内部モデムをご希望ですか、それとも外部モデムをご希望ですか。)

- Would you prefer to order 1000 yards at $1.50 a yard or 1500 yards at $1.40 a yard?
  （1ヤード1.50ドルで1000ヤード、1ヤード1.40ドルで1500ヤード、どちらの注文をご希望ですか。）
- Would you like the green one or the blue one?
  （グリーンがよろしいですか、それともブルーがよろしいですか。）

72　Assumption Close　仮定条件を示したクロージング

- Since we both agree that this product satisfies your printing requirements, shall we arrange for delivery early next month?
  （この製品が貴社の印刷に対する要求を満足させられるものであると双方で合意ができたので、納品は来月はじめに手配しましょうか。）
- Can I send you a fax confirming the order?
  （注文の確認をファックスで送りましょうか。）

73　Fear Close　懸念を示したクロージング

- Our offer is only available until the end of this week. So if you would like the special price, you should consider placing an order now.
  （この提案は、今週末までしか有効ではありません。ですから特別価格をお望みでしたら、ご注文は今お考えいただかないといけません。）

74　Asking for a Decision Close　決定を促してのクロージング

- So can I ask if you can deliver it next week?
  （では来週に納品をしていただけるかどうかお聞きしたいのですが。）
- Would you like to place an order?
  （ご注文いただけますか。）
- May I ask if this idea matches your requirements?
  （このアイデアが貴社の要求に合うかお聞きしたいのですが。）
- Perhaps you need some time to think this over. When can I contact you to ask for your decision?
  （おそらくこのことをお考えいただくのにもう少し時間が必要でしょう。決定をお聞きするには、いつごろご連絡すればよろしいでしょうか。）

欧米のお客様は、注文を促してくるセールスパーソンに慣れています。ですから、積極的に決定や注文を促すことをためらわないでください。しかし一方で、お客様の真の要求を最初に見いだすことを忘れないでください。

Section 5

Meeting Styles
ミーティングのスタイル

1　1対1ミーティング
2　公式ミーティング
3　非公式ミーティング
4　定例ミーティング
5　委員会ミーティング
6　セミナー
7　テレビ／電話会議

The Great
Facilitator

1 One-on-One Meetings
1対1ミーティング

　1対1ミーティングは、採用面接や業績評価、またときにはセールス・ミーティングやネゴシエーション・ミーティングに使われるミーティング・スタイルです。このスタイルのミーティングでは、状況にもよりますが、通常は一方の側が主に話し、ミーティングを主導します。その雰囲気は、同僚との会話のような非公式なものから、採用面接や業績評価といった体系化されたものまで様々です。通常、このスタイルでは議題はひとつだけなので、多くの場合アジェンダはありません。しかし、目的はやはり明確でなければなりません。周到に計画されていれば、この1対1ミーティングは大変生産的なものになります。ですから第1に目的を明確にし、そしてミーティングの準備をさせるため、相手に課題を与えましょう。最も大事なことは、ミーティングを邪魔されないことです。誰の邪魔も入らなさそうな静かなミーティングルームを用意し、携帯電話の電源を切っておくように依頼します。(レイアウト・サンプルは以下の通り)

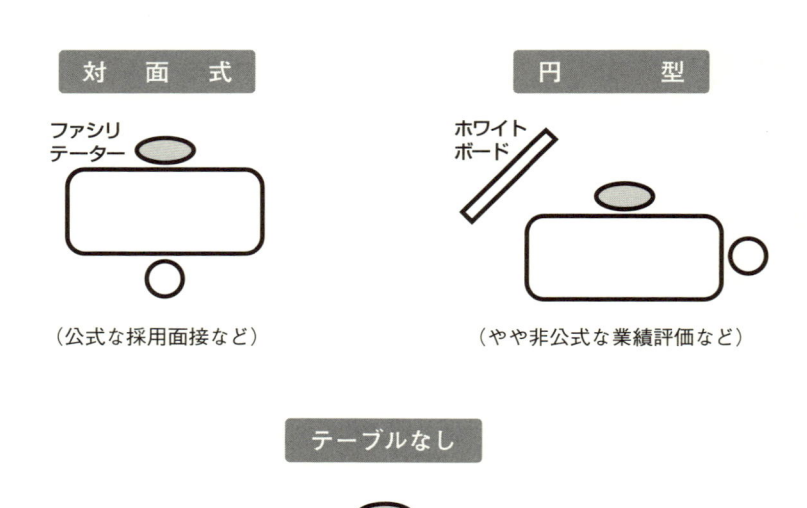

図20　1対1ミーティングのレイアウト・サンプル

2 Formal Meetings
公式ミーティング

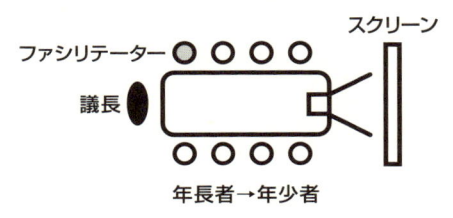

　公式ミーティングは、意思決定ミーティング、プロジェクト立ち上げ・振り返り・締めくくりミーティングや、部門内ミーティング、役員会などに使われるミーティング・スタイルです。このスタイルのミーティングには、ファシリテーターと議長がいるのが特徴で、議長がテーブルの真ん中や端など、目立つ位置に座るといった序列的な構造をしているのがふつうです。公式ミーティングは通常、議事録に記録され、ミーティングの記録は5年から7年ほどファイルに保存されます。議事録はふつうプロの秘書・書記により、一般的な決定事項や行動の記録よりも詳細に書き取られます。ミーティングの雰囲気はフォーマルで、議長の持つ態度や雰囲気、議題の順序、部屋のレイアウトなどに影響されます。典型的な部屋のレイアウトとして、議長がテーブルの端に座る「伝統的序列型」や、真ん中に座る「楕円型」があります。（レイアウト・サンプルは以下の通り）

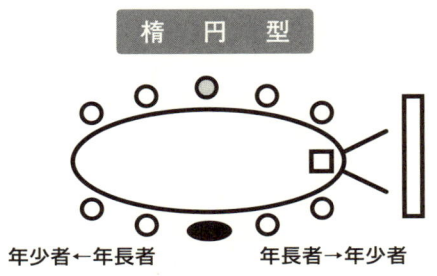

図21　公式ミーティングのレイアウト・サンプル

3 Informal Meetings
非公式ミーティング

　非公式ミーティングは、アイデア創造ミーティング、問題解決ミーティング、臨時ミーティング、チームビルディング、情報共有などに使われるミーティング・スタイルです。このスタイルのミーティングでは、グループのリーダー的な人物がファシリテーターとしての役割を担います。たとえ目的が特別なものであっても、アジェンダはシンプルなものである必要があります。ミーティングの雰囲気は、参加者がリラックスし、プレッシャーを感じることなく、自由な意見の交換と共有ができるものでなければなりません。参加者の人数は多くても6～7人に抑えるべきです。このスタイルでは、ファシリテーターは非公式にミーティングの記録をとりますが、通常、正式な記録としては残されません。もし、大人数のミーティングを計画するならば、参加者をいくつかの小さなグループに分けることを考えるとよいでしょう。(レイアウト・サンプルは以下の通り)

円卓型

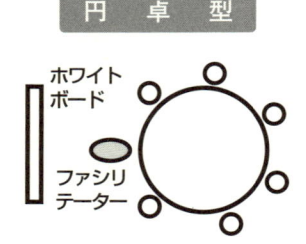

（臨時ミーティング、チームビルディングなど）

机なし円型

（アイデア創造ミーティング、問題解決ミーティング、情報共有など）

方形型

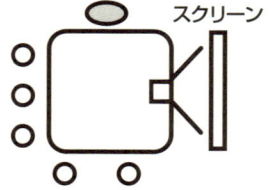

（臨時ミーティングなど）

図22　非公式ミーティングのレイアウト・サンプル

4 Routine Meetings
定例ミーティング

　定例ミーティングでは、アジェンダを作成する前に、ミーティングの目的を明確に決めておいてください。目的が具体的であればあるほど、アジェンダが注目されることになります。アジェンダには、ミーティングの目的が1行で説明されており、議題がリスト化されていて、各議題の責任者の名前が記されていることが必要です。参加者各人に、ミーティングのために何らかの準備をしてくるよう、課題を与えておきましょう。そのためには、アジェンダを配布する際に課題を添付しておくことが必要です。

　すべての参加者に、ミーティングは予定された時間通りに開始され、全員が時間を厳守しなければならないことをはっきりと認識させておかなければなりません。時間通りに到着してもらうため、ミーティング開始の30分前に確認の電子メールを送ることも考えておくとよいでしょう。他人に時間厳守を言っておいて、自分が遅れて来て気恥ずかしい思いをするようなことは避けましょう。遅れて来た参加者にミーティングの進行が妨害されないように、ミーティングルームのドアは時間になったら閉めましょう。

　ミーティングをコントロールするためにアジェンダを利用しますが、多少遅れて始まった場合でも時間通りに終わらせるようにします。参加者が、ミーティングのために別のスケジュールを調整しなければならないようなことは避けた方が望ましいので、予定した時間にまとめあげるようにしましょう。ミーティングに遅れて来たら、1分間につき100円を徴収するというような、「遅刻者罰金制」を考えてもよいでしょう。

　定例ミーティングが効果的かどうかを知る最良の方法は、参加者自身に聞いてみることです。ミーティングを一番理解していると思える人に、以下のような質問をすることで、あなたの気付かない問題点を指摘してもらえるかもしれません。

- What did we accomplish?
  （何が達成できたでしょうか。）
- Is there anything preventing us from achieving our basic goals in this meeting?
  （基本目標の達成を妨げるものがこのミーティングにはありましたか。）

　こうした質問をすることで、ミーティングの問題点が速やかに指摘され、いくつかの可能な解決策を得ることができます。（レイアウト・サンプルは、公式ミーティングまたは非公式ミーティングのレイアウト・サンプルを参照）

5　Committee Meetings
委員会ミーティング

　委員会ミーティングは、方針や戦略、手順などを立案したり、向上させたりするときに使われるミーティング・スタイルです。委員会ミーティングの目的は、多くの場合、特定の事項や問題について提案書や報告書を作成することにあります。作成された提案書や報告書を基にして、経営上層部や役員会のメンバーは意思決定し、方針を決めます。委員会ミーティングの効率と、最終的に作成される提案書や報告書には、ミーティングを運営・主導する人物の能力が反映されます。参加者は新しいアイデアや、他者の意見を受け入れるようにしなければいけません。参加者が課題を十分に理解し、問題解決のために創造性を持ってミーティングに集中することによって作業は終了します。参加者の座る席の配置は大切です。丸形や楕円形のテーブルは、参加者がお互いの顔を見ることができるため、オープンな議論と信頼関係の構築を促します。ミーティングはすべての参加者に都合のよい場所で開催するようにし、事前に時間と場所を通知しておくようにします。（レイアウト・サンプルは公式ミーティングのレイアウト・サンプルを参照）

6 Seminar Meetings
セミナー

　セミナーは、研修、プレゼンテーション、製品デモ、情報共有などに使われるミーティング・スタイルです。このスタイルのミーティングでは、一般的に、トレーナーまたはプレゼンターがいて、情報の提供や共有が強調されることに特徴があります。したがって、ここではトレーナーまたはプレゼンターが、ファシリテーターとしての役割を担うことになります。雰囲気は、状況にもよりますが、参加者がリラックスでき、ラーニングの助けとなるものでなければなりません。参加人数は、スキル・トレーニングの場合は6〜12人、レクチャー形式の場合は12〜50人を目安とすべきでしょう。セミナーを計画する場合は、特に機材や部屋のレイアウト、設備、空調、軽食、喫煙場所について注意を払うようにします。機材が正常に作動するかなどをチェックするため、セミナー開始の数時間前には設備・機材を設置するようにします。(レイアウト・サンプルは以下の通り)

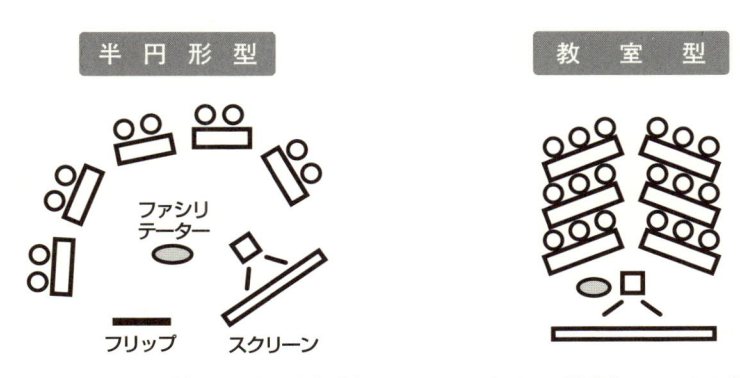

半円形型　　　　　　　　　　教室型

スキル・トレーニング（6〜12人の参加者）　　　レクチャー形式（12〜50人の参加者）

図23　セミナーのレイアウト・サンプル

7 Teleconference Meetings
テレビ／電話会議

Planning and Preparing
テレビ／電話会議の計画と準備

　テレビ／電話会議による費用削減は、従来の対面式ミーティングに比べ際立っています。このミーティング・スタイルは、プロジェクトの振り返りや、情報共有などを目的とした社内ミーティングに有効です。しかし、実際に参加者同士が顔を合わせる対面式ミーティングに比べると、その効果性や生産性では劣ります。複雑な手順を要するミーティング——例えば、ブレインストーミングや問題解決、あるいはネゴシエーション——では、このテレビ／電話会議スタイルはうまく機能しません。ほかに考慮すべき大切な点としては、機器類と時差があります。もし、ビデオやインターネットが利用できるのであれば、参加者はより効果的にコミュニケーションを行えるでしょう。海外とのやり取りの場合は、時差を考え、ミーティングの時間を決めます。参加人数は、1カ所につき最大4〜5人で、同時に3カ所以上と回線を結ぶことは避けた方がよいでしょう。(レイアウト・サンプルは以下の通り)

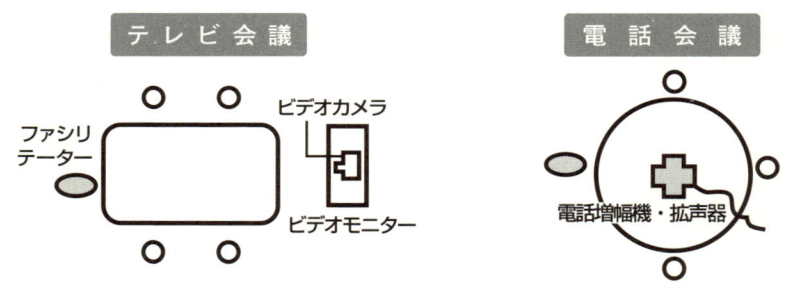

図24　テレビ／電話会議のレイアウト・サンプル

Participating
テレビ／電話会議への参加

　これまでご紹介してきた対面式ミーティングでのスキルやコツは、テレビ／電話会議での参加と効果的なコミュニケーションにも役立ちます。しかし、このミーティング・スタイルでは、より積極的な参加態度が必要とされることも覚えておいてください。以下のテクニックは効果的な参加の助けとなるはずです。

■必要なサポート情報や資料はすべて、ハードコピーだけでなくソフトコピー

（コンピューター上でのドキュメント）としても準備しておきましょう。これは、コンピューターを使って、あるいはインターネットに接続して、情報をやり取りできることにつながります

- ■ テレビ／電話会議では、相手方の参加者の配置を図式化（図25）すると役に立つでしょう。相手チームを視覚化することで、より効果的にコミュニケーションが図れるようになります
- ■ テレビ／電話会議の冒頭で、次のように自分の名前と肩書、部署を相手方に知らせます
  - This is Toshi Suzuki, assistant manager of Sales. I'd like to comment on the proposal for....
  （こちらは鈴木トシ、販売部門係長です。～の提案についてコメントしたいと思います。）
- ■ もし議事録を作成するのであれば、ミーティングの様子を録音するのが有益でしょう。加えて、ミーティングを録音し、あとで振り返ることは、あなたのミーティング・スキルの向上にも役立つでしょう

図25　相手方参加者の配置の図式化（イメージ図）

Facilitating
テレビ／電話会議でのファシリテーション

　前述したように、テレビ／電話会議はプロジェクトの振り返りや情報共有などを目的とした社内ミーティングには有効ですが、ブレインストーミングや問題解決、ネゴシエーションといった複雑なミーティングではうまく機能しません。ですから、テレビ／電話会議を計画・準備する際は、その目的とアジェンダがテレビ／電話会議に

妥当なものなのかよく吟味する必要があります。テレビ／電話会議では、従来の対面式ミーティングに比べ、コミュニケーションのプロセスは遅く、活動的でなくなることを覚えておいてください。

　こうしたテレビ／電話会議を効果的にファシリテーションする最もよいテクニックのひとつは、こちらのメンバーで事前にミーティングを行ってみることです。この事前ミーティングは、こちら側のメンバー同士でアイデアを共有し、ミーティングで話し合われる大事な項目に同意しておくために、できればテレビ／電話会議の数日前に行っておくとよいでしょう。もし、それが難しいようなら、立場と話し合うポイントを確認するため、メンバーにミーティングの1時間前に到着してもらうようにします。Section2で学んだスキルやテクニックに加え、以下のポイントも考えておきましょう。

Tips for Teleconference Meetings
テレビ／電話会議でのファシリテーションのためのヒント

▶ こちら側のメンバーをミーティングの予定開始時間より1時間前に召集し、目的と大事な項目および最新の情報とアイデアを共有しておきます。

▶ 衛星やビデオでの接続に支障が出た場合を考えて、電話回線と相手の番号を準備しておくことを忘れないようにします。

▶ あいさつと自己紹介から始め、次いでメンバーの名前と担当や責任を紹介します。

▶ ミーティングの目的とアジェンダを明確にし、メンバーに急な欠席者や早退者がいないかどうかといった、直前の状況や時間制限をチェックします。

▶ アジェンダの最初の項目から話し合いを始めます。通常のミーティングと同様に行います。

▶ ミーティングの終わりでは、10分前にその通知をし、決定事項と行動について要約を行い、参加者全員にミーティングへの参加のお礼を述べ、締めくくります。

▶ 最後に、必要であれば次回のミーティングのスケジュールについて合意をとります。

参考

Time Zone Abbreviations
世界の時間帯に関する略語と情報

　以下に世界の時間帯に関する略語とその意味、また適用される都市や時差を示します。テレビ／電話会議を計画する際は、相手国との時差をよく考慮するようにしましょう。（本情報は http://www.timeanddate.com/ より抜粋）

Commonly Used　一般的に使用される語

略　語	意　　味	適用される主な都市
EST, EDT	US Eastern Time	New York
CST, CDT	US Central Time	Chicago
MST, MDT	US Mountain Time	Denver
PST, PDT	US Pacific Time	Los Angeles
BST	British Summer Time	London
CET, CEST	Central European Time	Paris
EET, EEST	Eastern European Time	Athens
JST[※1]	Japan Standard Time	Tokyo

[※1]　JST（日本標準時）はUTC＋9時間。UTCについては下記参照。

＜UTCとGMT＞

　UTCとは、Coordinated Universal Time の略で、「協定世界時」と呼ばれます。GMT（グリニッジ標準時）が天体観測を基に時刻を決めているのに対し、UTCは原子時計を基に時刻を決めています。GMTとUTCは事実上同じですが、現在ではUTCが世界の基準時間としての役割を担っています。

European Time Zones　ヨーロッパの時間帯で使用される語

略　語	意　味	UTCとの時差
GMT	Greenwich Mean Time	± 0 hour
BST	British Summer Time	+ 1 hour　(−8)
IST	Irish Summer Time	+ 1 hour　(−8)
WET	Western European Time	± 0 hour　(−9)
WEST	Western European Summer Time	+ 1 hour　(−8)
CET	Central European Time	+ 1 hour　(−8)
CEST	Central European Summer Time	+ 2 hours　(−7)
EET	Eastern European Time	+ 2 hours　(−7)
EEST	Eastern European Summer Time	+ 3 hours　(−6)

（　）内は日本標準時との時差

American Time Zones　アメリカの時間帯で使用される語

略　語	意　味	UTCとの時差
NST	Newfoundland Standard Time	− 3.5 hours　(−12.5)
NDT	Newfoundland Daylight Time	− 2.5 hours　(−11.5)
AST	Atlantic Standard Time	− 4 hours　(−13)
ADT	Atlantic Daylight Time	− 3 hours　(−12)
EST	Eastern Standard Time	− 5 hours　(−14)
EDT	Eastern Daylight Time	− 4 hours　(−13)
CST	Central Standard Time	− 6 hours　(−15)
CDT	Central Daylight Time	− 5 hours　(−14)
MST	Mountain Standard Time	− 7 hours　(−16)
MDT	Mountain Daylight Time	− 6 hours　(−15)
PST	Pacific Standard Time	− 8 hours　(−17)
PDT	Pacific Daylight Time	− 7 hours　(−16)
AKST	Alaska Standard Time	− 9 hours　(−18)
AKDT	Alaska Daylight Time	− 8 hours　(−17)
HAST	Hawaii-Aleutian Standard Time	− 10 hours　(−19)

（　）内は日本標準時との時差

Section 6

Region and Country Data
地域別・国別情報

1 　地域別情報
2 　国別情報

1 Region-by-Region
地域別情報

　国際ミーティングを成功に導くためには、ミーティングをする相手国のマナーや習慣を十分考慮し、受け入れるようにしなければなりません。本節では、より効果的に国際ミーティングの準備をし、想定される難しい局面を避けるための情報を提供します。

　様々に異なった背景を持つ人たちとコミュニケーションをとる際に、想定される難しい局面と誤解を避ける最も効果的なアプローチは、明確でアサーティブなコミュニケーション（74ページ）をとることです。

　以下に、ファシリテーションを行う際の注意事項とヒントを世界の地域別に紹介していきますので、次節の「国別情報」とあわせて活用してください。

Western Countries
欧米諸国

　アジェンダが論理的に構成されているかどうか、また各議題がミーティングの目的を達成するために位置付けられているかどうかを明確にしておきます。

　オープニング・ステートメントは書面に書き出しておき、ミーティングの冒頭で参加者全員に表明します。理由や説明といった背景情報もきちんと準備しておきましょう。

　アクティブ・リスニングを心がけましょう。理解を明確にするための質問や言い換えは非常に大切です。ときどき、決定事項や行動計画など、ミーティングの内容を要約しましょう。

　行動計画は部門やグループではなく、個人に課しましょう。

　参加者がアイデアや意見を述べる際には、ハンドアウト（配布資料）や視覚資料を使わせるようにしましょう。

　明確でアサーティブなコミュニケーションを心がけましょう。不合意を克服し、話し合いを進めるため、アサーティブ・コミュニケーション・スキルの3つのステップを使いましょう。

　ミーティングのルールを用いて、アジェンダに沿うようにミーティングを進めましょう。

　しっかりした声と、参加者への適切なアイコンタクトを忘れないようにしてください。

Asian Countries
アジア諸国

　アジェンダに話し合いたい重要な議題がすべてカバーされているか確認しましょう。土壇場での変更は避けます。
　オープニング・ステートメントには、ミーティングの目的と背景が明確になっていなければなりません。ミーティングに関係する、過去の出来事や事実を要約しておきましょう。
　ミーティングの議事録の書記を任命し、議事録のスタイル、使用言語、形式を伝えます。
　行動計画は個人ではなく、部門やグループに課します。
　参加者がアイデアや意見を述べる際には、ハンドアウトや視覚資料を使わせるようにしましょう。
　協調的な雰囲気を保つようにしましょう。誰もメンツを失うことがないようにし、直接的な個人批判は避けます。
　ゆっくり話すことを心がけ、複雑な文章構成や慣用表現の使用は避けます。

Latin American Countries
中南米諸国

　アジェンダで取り上げる議題は、重要なもの3つ～4つにとどめましょう。それ以上は盛り込まないようにします。話し合いのためにより多くの時間を割いてください。
　オープニング・ステートメントでは、課題を達成することの重要性と、グループがミーティングの目的を達成することから得られる恩恵が強調されなければなりません。
　たとえ書記を任命したとしても、ミーティングの記録は自分でもとっておいた方がよいでしょう。
　参加者は非常に早口でしゃべろうとしますので、話を中断させるのは難しいでしょう。しかし中断は、ミーティングをコントロールし、議題に注意を向けさせ、時間を管理するという点で非常に重要といえます。
　行動計画は部門や個人、あるいはその両方に課すことができます。
　参加者がアイデアや意見を述べる際には、ハンドアウトや視覚資料を使わせるようにしましょう。しかし、それが難しい場合は、アイデアや意見の要約を各人にホワイトボードに書き出してもらいましょう。

話すときはふつうのペースでよいでしょう。ジェスチャーや強い口調で、普段よりおおっぴらに感情や思いを伝えるようにしましょう。

Middle Eastern Countries
中東諸国

　中東諸国の正確な境界線は、きちんと決められているわけではないのですが、しばしば、より定義しやすいアラブ世界と混同されるようです。アラブ世界というのは、アフリカ大陸北西部のモロッコから、アラビア半島南東部のオマーンまでの非常に広範囲の地域を指します。この地域は非常に多種多様な要素を持っており、一般化することは容易ではないのですが、心にとどめておくべき大事な点がいくつかあります。

　この地域ではことさらにエチケットやプロトコルに注意を払います。そのため従わなければならない儀礼が数多くありますので、地域のビジネス慣習や風土になじむよう心がけてください。

　ミーティングはステップ・バイ・ステップで計画しましょう。初めのうちはミーティングのペースはゆっくりしていますが、いったん関係が築けると非常に速くなります。

　ミーティングの中断や遅れを覚悟しておきましょう。アジェンダに沿うことは非常に難しいと考えられますから、ミーティングを計画する際は柔軟性が鍵となってきます。

　議事録はふつう秘書がとりますが、ミーティングのスケジューリングということになるとほとんど権限は有していません。

　話すときはふつうのペースでよいでしょう。中東のプロのビジネスピープルは高い教育を受けており、英語を流暢に話します。しかし、彼らの母国語での適切なあいさつの仕方と話しかけ方を学ぶことが、非常に大切であることも覚えておいてください。

2 Country-by-Country
国別情報

　以下は、国ごとのビジネス慣習やマナーについての紹介です。本情報は、http://www.executiveplanet.com/、『世界比較文化事典』、『この一冊で世界の国がわかる！』、関係国関連ホームページ、および198ページの参考図書・文献などから、抜粋、翻訳、加筆、編集、注釈を㈱グローバリンクスで行ったものです。

Western Countries
欧米諸国

◆Business Meetings in the USA
アメリカ合衆国

　アメリカ合衆国では、日付は月、日、年の順で表記します（例えば、2006年4月1日は、4/1/2006となります）。

　一般的な業務時間は、月曜日から金曜日の午前8時半（または9時）から午後5時（または6時）までですが、多くの人が残業します。

　アポイントメントは学校が夏休みに入る7月～8月（早いところは6月から）は避けましょう。アメリカ人ビジネスピープルは家族との時間を大切にするため、長期の夏休みをとる人も多くいます。また、クリスマス休暇の期間も避けた方がよいでしょう。

　アメリカ合衆国のビジネス社会では、"Time is money."（時は金なり。）という言葉が重く受け入れられています。アメリカ人ビジネスピープルは、物事の決定を素早く、決断力を持って行います。彼らは、直截的でポイントを押さえた情報に価値を置きます。

　アメリカ合衆国ではお金が重要で、多くの論争に勝利するためにも使われます。社会的地位や儀礼、社会的名誉などはそれほど重きを置かれません。同様に、他の文化では極めて重要とされるメンツや社会的上品さ、形式といったものもアメリカ合衆国ではそれほど重要ではありません。

　アメリカ人ビジネスピープルは、機を見るに敏で、チャンスを得るためには危険を冒すことをいといません。機会を敏感に捉えて危険を冒すことこそが、アメリカ合衆国の社会では、最大（できれば全部）の分け前を要求することにつながるのです。

　一般的に、アメリカ人は交渉や会話での沈黙を嫌う傾向にあります。彼らは単に沈黙を避けるためだけに話し続けることもあります。

アメリカ人は"No"と答えることに躊躇しません。彼らは直截的で、ためらうことなく相手に不支持や不賛同を伝えます。こうしたアメリカ的なコミュニケーション・スタイルに慣れていないビジネスピープルは、しばしば困惑や困難を覚えることがあるようです。

アメリカ人ビジネスピープルのもうひとつの特徴として見受けられるものに、粘り強さがあります。どんなときでもきっと解決策はある、という信念が彼らの間には広く浸透しています。また、交渉が行き詰まると、彼らはすべてのオプションを試してみようとするでしょう。

締め切りを守り、結果を出すことがしばしば強く要求されます。労働倫理が強いため、アメリカ人ビジネスピープルの生活は仕事を中心に回っているように見えます。

アメリカ人ビジネスピープルには一貫性があり、ひとたび契約に合意すると、マインドを変えることはほとんどありません。

アメリカ人ビジネスピープルは未来志向であるがゆえに、しばしば伝統よりも変革を優先します。

アメリカ人は自国中心主義的な傾向があるため、他国からの情報に対しては閉鎖的です。思考は分析的で、概念はすぐに抽象化されます。また「普遍的な」規則が好まれる傾向にあります。ほとんどすべての物事に確立された規則があり、その道の専門家はすべての階層の人たちから信頼されます。

ミーティングでは、ビジネスとは直接関係のない話題で軽く世間話をしてから本題に入るのがふつうです。これには、緊張を和らげ心地よい雰囲気をつくろうとする意味合いがあります。スポーツや天気、あるいは他のちょっとしたビジネスなどが主な話題となります

アメリカ人は、交渉をそれぞれの強さに基づいた「妥協」による問題解決と見なします。そのため交渉では、しばしば自分たちの経済力や力関係を強調してきます。交渉では、客観的事実を積み重ねて主張してきますが、その論拠はときに民主主義や資本主義、消費者保護のイデオロギーへの信仰の影響を受けていることもあります。参加者の主観的感情は、客観的事実ほどは問題になりませんので、コンセンサスを求めるのにそれほど時間はかかりません。

アメリカ人ビジネスピープルは、見込み客との最初のミーティングでは口頭での合意を引き出そうとするものです。ときとして、最初のミーティングで最終的な契約まで持ち出すこともあります。大企業では、1万ドル以下の契約の場合、ミドルマネジ

ャーが1回のミーティングで決めてしまうこともよくあります。

　名刺を受け取ってもらえないことはないでしょうが、こちらが相手の名刺を受け取れないことはよくあります。名刺交換の習慣は日本ほど遵守されることはないので、感情を害さないようにしましょう。相手が、受け取った名刺を財布の中にしまい、ズボンの後ろポケットに入れてしまうことがよくありますが、これは単にそうした方が都合がよいというだけで、日本のように相手を敬わないという意味ではありません。多くの場合、あとでその人に連絡をとりたいという場合を除いて、名刺は交換されません。

　企業風土は、アメリカ合衆国の持つ多様性のため、企業によって大きく異なります。実際に会う前に、インターネット、マーケティング資料、企業パンフレットなどから、相手の企業風土をできる限り学んでおくことが大切です。

◆Business Meetings in Canada
カナダ

　カナダでは、時間厳守が常に最優先されます。すべてのビジネス関連のミーティングでは、時間を守ることを心がけましょう。さらに、たとえ相手のカナダ人が約束の時間に間に合わなくても、こちらは時間通りに来ることを期待されます。どうしても遅れてしまいそうなときには、電話をしていつごろ到着できるかを伝えることで評価されます。

　午前中が、アポイントメントに好ましい時間帯です。

　一般的な業務時間は、月曜日から金曜日の午前9時から午後5時までです。ただし、それ以上業務が長引くこともめずらしくありません。

　カナダでは2カ国語が公用語として使われています。連邦政府では、英語とフランス語で公式な業務が執り行われます。またケベック州では、すべてのビジネス活動にフランス語の使用が厳しく要求されています。販促資料などの書類は、フランス語に翻訳するよう心がけましょう。ただし、フランス語に同義語がない場合は、英語の使用が許されることもあるようです。ケベック州以外のカナダの組織では、販促資料などの書類に英語・フランス語両方を使うよう要求してくることもありますので、あらかじめ問い合わせて確認しておきましょう。

　一般的には、名刺はフランス語と英語両方で書いておくとよいでしょう。また、ケベック州でのビジネスを計画しているなら、名刺はフランス語に訳されたものを使用しましょう。第1言語としてフランス語を話すカナダ人は、ふつう「フランコフォン（フ

ランス語話者)」と呼ばれます。
　名刺はふつう交換されますが、最初のあいさつの際に交換されることは、あまりありません。
　一般的に、夜の社交の場では15分程度の遅れは許されますが、30分以上遅れることはないようにしましょう。

◆Business Meetings in Australia
オーストラリア

　実際、相手が組織においてどのような地位にあっても、アポイントメントは比較的簡単にとることができます。多くの重役は快活で親しみやすく、ビジネスの話で積極的に会おうとしてくるでしょう。1カ月前にアポイントメントをとるのが最良の策です。
　一般的な業務時間は、月曜日から金曜日の午前9時から午後5時までです。
　ビジネスでの訪問に最適な時期は3月から11月です。12月から2月は現地の旅行シーズンと重なってしまうので避けましょう。また、多くの重役が休暇をとるクリスマスやイースター[※1]の時期も、訪問を避けた方がよいでしょう。

　時間厳守の努力をする一方で、オーストラリア人が時間に対して無頓着な場合もあることを理解しておきましょう。こちらがミーティングの時間に数分遅れても大目に見られることもあれば、いい加減で信頼できないビジネスピープルだと思われることもあります。その一方、こちらが相手のオーストラリア人を待つ場合は、辛抱強く相手に合わせなくてはなりません。
　こちらが雇用主である場合は、オーストラリア人従業員の遅刻をしかるときは、単に時間通りに来るよう言い聞かせるだけでは十分ではありません。彼らが遅刻することで、組織にどのような悪影響を及ぼすのか、証拠を挙げて納得させなければなりません。

　自己紹介の際に、名刺を差し出すとよいでしょう。
　ミーティングを始める前に、ちょっとした世間話をするのがふつうです。親密な関係を築くことは、オーストラリアのビジネスでは大切なことです。
　簡潔な話し方をしましょう。こちらが話す内容は、文字通りに解釈されるものと考えてください。同様に、オーストラリア人が話す内容も文字通りに解釈しましょう。

　オーストラリア人は、自分と対等だと思える人を最初に信用する傾向があります。

オーストラリア人は、権威や、自分は他人よりも優れていると考えるような人に対しては懐疑的です。ですから、いつでも控えめな態度を心がけると同時に、自分の学歴、専門の経験、ビジネスでの成功などの業績をひけらかさないようにしましょう。

　皮肉癖は国民性の大事な一部といってもよいでしょう。皮肉が向けられる主な対象は、富裕層や権力者です。この文化では、弱者や敗者に対してより大きな敬意が払われます。

　オーストラリア人は、一般的にかけひきや攻撃的な販売手法を嫌う傾向にあります。彼らは率直さに価値を置いているため、どんなプレゼンテーションでも、肯定的な面と否定的な面の両方が率直に示されていなければなりません。

　大げさな主張ばかりに満ちているような、熱心すぎるプレゼンテーションは、単にプレゼンターが嘲笑の対象になるだけです。

　余談や細かすぎる説明も、オーストラリア人には快く受け取られないので、プレゼンテーションはシンプルでポイントを押さえたものにしましょう。

　謙虚さ、カジュアルさ、無頓着さといったものは、オーストラリアのビジネス特有の姿勢といえます。

　オーストラリア人は新しいアイデアを受け入れたがり、分析的で概念的な思考をするのが一般的です。

[1] イースター：「復活祭」とも呼ばれる。イエス・キリストが十字架にかけられて死んだあと、3日後によみがえったことを記念するキリスト教の祝日。日付は毎年変わるが、基本的に「春分後の最初の満月から、数えて最初の日曜日」と定められている（具体的には3月22日から4月25日の間）。

◆Business Meetings in France
フランス

　一般的な業務時間は午前8時半（または9時）から午後6時半（または7時）までです。昼休みはパリでは1時から、地方では12時（または12時半）から始まり、2時間以上休憩する人もいます。重役たちは午後7時や8時まで残業することがよくあり、特に高い地位にいる人ほど残業する傾向があります。アポイントメントに最適な時間は、通常午前11時もしくは午後3時半です。

　1週間の労働時間が35時間までに強制的に縮小され、とりわけ重役たちは平日に働く時間を減らすのではなく、オーバーした時間を追加休暇の取得にあてています（年14〜16日が加算されます）。また、一般労働者は年5週間の休みをとることができ、この結果、クリスマスやイースター（上記※1）および夏休みなど、学校が休みとなる期間は、多くのオフィスが実質的に無人となります。フランスをビジネス

で訪問する際は、このことを計算に入れておく必要があります。

　初めてのミーティングでは、丁寧で、誠意ある態度を維持するようにしましょう。ただし、初めから親しげな態度をとると、フランス人にはあまり信用されないことも覚えておきましょう。
　フランス人は直截的で、探究心旺盛で、あいまいさを嫌うので、提案書は綿密に計画され、論理的に構成されたものでなければなりません。また、フランス側は提案書の項目のうち、さらに説明を要する個所を集中的に攻撃してくるでしょう。
　フランス人は、ビジネスでの議論をある種の知的演習のように見る傾向があります。フランス人の議論の特徴としてロジックの重視があります。そのため、こちらが少しでも非論理的な発言をすると、彼らはすぐさま批判してきます。
　フランス人は、多くの場合、分析的かつ批評的な見方を雄弁に、ウィットを織り交ぜながら論じます。また、個人の感情や、イデオロギーへの信仰がプレゼンテーションに反映されることもよくあります。

　フランス人は、相手の意見を受けて自分の意見を変えることがよくありますが、彼らの文化規範に逸脱するものは決して受け入れようとしません。しかし、論争意欲をかきたててくれるような新しい情報については大いに受け入れようとします。
　フランス人は、知性を表明する力がどれほどあるかによって、こちらを判断しようとします。そしてそれが、しばしば対立する意見のぶつけ合いや、激しいディベートにつながります。こうした状況で、こちらがうまく自分をコントロールできれば、彼らの尊敬を得ることができるでしょう。こちらの意見が相手と異なっていても、あまり心配する必要はありません。こちらの立場を効果的に守り、こちらの博識を表明し、平静を保ち続ける能力こそが必要です。
　議論は日本と比べて、はるかに熱く激しいものになります。
　フランスの職場はとても組織立っていて、構造化されています。一般的に官僚主義的で、効率性や柔軟性よりも、手続きを遵守することが重要視されます。

◆Business Meetings in Germany
ドイツ

　午前10時から午後1時、もしくは午後3時から5時がアポイントメントにはよい時間帯です。金曜日の午後は、企業によっては2時または3時にオフィスを閉めるところがあるので、アポイントメントは避けた方がよいでしょう。

一般的な業務時間は地方や業種によって異なるので、事前にチェックしておきましょう。ただし、官公庁は午前8時（または8時半）から午後4時まで、銀行は8時半（または9時）から午後4時までというのがふつうなようです。企業については近年フレックスタイム制を導入しているところが少なくなく、午前9時～9時半に出社し、午後3時～7時に退社するケースが多いようです。

　ドイツでは、ミーティングはふつう、議長による司会というフォーマルな形式で進められます。振る舞い方、服装、座り方をフォーマルな席とインフォーマルな席でどのように使い分けるべきか迷った場合は、年長者や先輩を見習うようにします。ドイツで初めてのミーティング、またはその会社で初めてのミーティングで、社内の手順が不確かな場合は、何が期待されているのか、また何をしなくてはならないのかを、こっそり相手方のホスト役に尋ねましょう。これがホスト役を不快にさせたり、厄介な立場にさせたりするとは考えないようにしましょう。また聞くことを恥ずかしがらないようにしましょう。ドイツ人は特にビジネスに関してはとても率直で直截的ですので、明確にするために率直に人に尋ねるという行為は、ふつうのコミュニケーション行為の一部となっています。これは、あとになって指示や期待が理解されていなかったことが分かるというような、面倒な事態を防ぐためです。
　ドイツ人は、十分に資料や情報を集めてミーティングに臨んでくるでしょうし、こちらにも同じことを期待するでしょう。日本人は、初めてのミーティングではビジネスの相手と親しくなり、個人的な関係を築こうとしますが、ドイツ人は、初めてのミーティングからいきなり課題、問題、事実について話し合おうとするでしょう。もし初めてのミーティングでそういった事柄を話し合う意図がないのなら、事前に相手のドイツ人にこちらの意図と期待を伝えておくことが必要です。そうすることで、双方が相手の期待とコミュニケーションのやり方に気付くことになります。

　ドイツ人は時間を効率的に管理するため、ビジネスではスケジュールを優先します。そのため、彼らのビジネス・コミュニケーションの仕方は、非常にアジェンダに則したものであることを覚えておきましょう。
　ドイツ人は極めて分析的な思考をし、自分たちの見解を裏付けるため、相手に多くの事実や事例を求めようとします。客観的事実こそがドイツのビジネス社会の基礎にあり、法律を重んじた論理的思考が商談やコミュニケーションには不可欠です。そのため、個人的な感情や人間関係というものは、取引の公正さや誠実さをゆがめてしまうので、関与させてはならないと考えられています。

◆Business Meetings in Italy
イタリア

　イタリア人は、全く見知らぬ人よりも、たとえ表面上だけでも面識のある人とのビジネスを好みます。イタリアのビジネス社会では親しみが大切なので、ビジネスで訪問する際は、正式な紹介をしてもらえる有力な縁故者を探すことが大切です。

　イタリアでは、時間厳守にはそれほど重きは置かれていませんが、訪問する側としては時間通りに着くのが得策です。相手のイタリア人が現れる、もしくはこちらが部屋に入れてもらえるまで、15〜45分くらいは待たされることを覚悟しておきましょう。したがって、待っている間の時間つぶしに、仕事や本などを持っていく方がよいでしょう。

　イタリア北部の中小企業、官公庁、商店の業務時間は、ふつう月曜日から金曜日の午前8時半から午後12時半までと、午後3時半から6時半までです。また、土曜日の午前中にも多くの企業が営業しています。大企業の業務時間は、午前8時半（または9時）から午後6時（または6時半）までです。昼休みは1時間ほどですが、取引相手とレストランなどで食事する場合は、それより長めになります。

　イタリア中・南部の業務時間は、月曜日から金曜日は、午前8時半から午後12時45分とまで午後4時半（または5時）から7時半（または8時）までで、土曜日は、午前8時半から午後12時45分までです。一般的に、南部のビジネスのペースはゆったりとしています。

　ローマをはじめとする多くの都市では、午後1時半から3時半まで、2時間もの長い昼休みがあり、昼食を含んだこの時間に商談が持たれることがよくあります。一般的に、アポイントメントにベストな時間は、午前10時から11時、および午後3時半以降です。

　夏休みの期間には注意が必要です。8月には多くの企業が休業します。したがって、7月中旬にアポイントメントの手紙を送った場合は、9月までは返事をもらえないこともあります。

　イタリアの祝祭日の多くは、ヨーロッパ大陸と同じ日付ですが、アメリカ合衆国、イギリス、カナダとは異なります。祝祭日には企業だけでなく、その地域全体が休んでしまうので、ビジネスでの訪問を計画する際は、あらかじめ日付をチェックしておくことが大切です。

　イタリアにいるイタリア人は、あまり英語を話さないので、ビジネスの場では通訳が必要となる場合があるでしょう。

もし相手のイタリア人がある程度英語を話せるとしても、プレゼンテーション資料や話し合いには、明確で簡潔な英語を使いましょう。そうすれば、相手がこちらの資料や発言を全く理解できないというようなことは、ほとんどないでしょう。
　交渉チームのメンバーを選ぶ際は、イタリア人は一般的に、どんな組織が相手でも、最重要人物としかビジネスをしたがらないことを覚えておきましょう。
　名刺はふつうに使われています。裏面にイタリア語の翻訳を載せたものを使用しましょう。また、イタリア人ビジネスピープルは、自分の取引している相手が重要な人物かどうかを知りたがるので、学歴、肩書、地位は名刺の両面に目立つように書いておきましょう。ただし、地位の高いイタリア人ビジネスピープルは、ふつう名刺には自分の情報をあまり載せないことも覚えておきましょう。
　初めてのミーティングはオフィスで行われることが多く、ここで相手はこちらの提案、人物、会社を評価しようとします。ミーティングでは、穏やかで威厳のある態度で発言することが肝要です。少なくとも最初のミーティングでは、こちらと相手との間に尊敬と信頼の感情を築くことが目的となります。こちらの提案が、相手にとって有益だということを示すためにできることはすべて行いましょう。こうした方法はイタリアの南部に行くほど重要なものとなります。

　ときとして、こちらが相手にとって知己を得て取引する価値のある人物（または企業）かどうかが、実際の提案書の中身より重要となることがあります。しかしそれでも、綿密に計画され、論理的にまとめられた提案書をミーティングに持ち込むことが重要です。
　すべてのプレゼンテーション資料は、美的感覚にあふれた気持ちのよいものでなければなりません。この国の文化では、見栄えのよしあしが中身そのものよりも重要と考えられることがよくあります（人についても同じことがいえます）。
　イタリア人は一般的に、新しい考えや概念を快く受け入れますが、意見にはほとんど変化は見られません。
　イタリアのビジネス社会では、階層制が鍵となっています。特に、大規模で伝統のあるイタリアのビジネス組織では、「コルダータ[※1]」と呼ばれる命令系統の重要性は軽視できません。また、地位と階層に対する信仰は、イタリア社会のあらゆる物事に浸透しています。

[※1] コルダータ（cordata）：横のつながりを大切にするイタリア特有の関係を表す。もともとの意味は、「一本の同じロープを伝わる登山者の仲間」。

◆Business Meetings in Sweden
スウェーデン

　ビジネスの場であろうと社交の場であろうと、いかなる状況下でも、可能な限り、決して遅れてはなりません。特定の理由で遅れざるを得ない場合は、事前に電話をして誰かに伝えることが大切です。また、その際に説得力のある説明ができることも大切です。いかなる場でも時間に正確であるよう努めましょう。夕食に招待されたときに、気取ってわざと少し遅れて行く、といった考え方はスウェーデンでは通用しません。アポイントメントは2週間前にとりましょう。

　週末や休日、休暇中にスウェーデン人に働いてもらえると思うのは間違いです。なぜなら、彼らはこれらの時間・期間をとても大切にしているからです。しかし、スウェーデン人ビジネスピープルは、夜、家に仕事を持って帰ることがあります。もし、電話をしてもよいとスウェーデン人の同僚から電話番号をもらっているなら、自宅に電話をかけても問題ありません。ただし、電話は平日の夜、ビジネスに関して翌日まで待てない用件がある場合のみにとどめておきましょう。

　スウェーデン人ビジネスピープルと会う約束をするのに、6月から8月、および2月末から3月初めの時期は避けましょう。この時期はスウェーデン人が休暇をとる最もポピュラーな時期だからです。

　多くのヨーロッパ諸国や南米諸国と同じように、スウェーデンでは、日付を日、月、年の順で表記します（例えば、2006年4月1日は、1/4/2006となります）。

　一般的な業務時間は、月曜日から金曜日の午前9時から午後5時までで、途中1時間の昼休みをはさみます。多くの人は11時半から1時半の間に昼食に出かけます。

　最低でも年5週間の休暇があり、7月に休暇をとる人が多いので、この間のビジネスの予定はよく考えましょう。12月22日から1月6日のクリスマス休暇中も、多くの人が休みます。

　英語が話せて理解できる人が多いので、必ずしも名刺はスウェーデン語に訳されていなくてもよいでしょう。しかし、スウェーデン人は名刺交換に熱心なので、数はたくさん用意しておきましょう。名刺の肩書と学歴はさほど重要ではありません。

　ミーティングの日時と場所は前もって確認しておきましょう。スウェーデンでは、突然の時間や場所の変更は歓迎されません。ミーティングに最適な時間は、午前9時から10時までと、午後2時から4時までです。これはスウェーデンでは非常に大切なことなので、軽視してはいけません。

スウェーデン人は時間厳守を重んじているので、ミーティングには時間通りに着くことが大切です。時間通りに着かないことは、失礼な行為にあたります。またその国民性ゆえに、ミーティングの始まりと終わりも、予定された時間通りであることがよいと考えられています。

　スウェーデン人は、確固たる知識と経験を持った人を尊敬します。
　スウェーデン人は詳細を非常に重視する傾向があり、細心の注意を払って計画され、論理的に構成された提案書を用意することは、彼らが外部のアイデアを受け入れやすくなることにつながります。
　初めてのミーティングでは、こちらの人物や会社、提案書などを評価するため、あまり活発な意見交換は行われず、事務的な内容になります。また初めてのミーティングは一般的にオフィスで行われます。時間管理に注意が払われるため、ミーティングは綿密に、かつ十分に時間に余裕を持って計画しましょう。また詳細なアジェンダを作成し、ミーティングの実施日より前に配布しておきましょう。すべての事柄について、詳細を明らかにし、質問に答えるためには何回かのミーティングが必要になることがあります。通常、初めてのミーティングで物事が決定されるということはありません。ミーティングはどちらかというと情報共有の場と言えます。そして、何回かのミーティングを経たあとは、各人がグループ全体以外の個々のミーティングで合意したことを確認する場となります。ミーティングでは、コンセンサスが非常に大切にされます。
　交渉の席では感情を表に出さないようにしましょう。感情を表し過ぎることは誤解を招くことになりかねません。例えば、"I am happy to be here."（この席に参加できることを非常にうれしく思います。）といった表現は、穏やかな口調で言わなくてはなりません。交渉の席では、ユーモアはふつう歓迎されません。
　控えめで多少シャイな方が、スウェーデン人のホスト役にはよい印象を与えます。
　スウェーデン人は、対立や衝突を避け、物事を決定する唯一の方法として、常にコンセンサスを重視します。これは、スウェーデン人が個人レベルでの攻撃を極力しないことからきています。
　心身両面で安定を保ち、グループの一員としての役目を果たすことが大切です。さらに、友好的な態度を見せるよりも、誠実さと真面目さを見せる方がスウェーデン人には好まれます。人前で従業員に賛辞や報酬を与えることは、それがグループ全体に対してのものでない限り、ふつう行われません。
　一般的にスウェーデン人は、あいさつや世間話をしないで、いきなりビジネスの

話題に入ります。

　多くのスウェーデンの企業では、ミーティングには上司と部下の両方が集まります。そこに決定権を持つ人が参加し、相互の問題解決に取り組みます。上司と部下は対等な立場で話し合い、すべての意見が尊重されます。事実と数値が非常に重要とされるので、よく調べておき、概略と詳細を明確にしておきましょう。

　プレゼンテーションにはハンドアウトと視覚資料が必要です。スウェーデン人は、色鮮やかさや派手さより、プレゼンテーションの中身に重点を置きます。スウェーデン人が外国人にプレゼンテーションする際は、こうした要素（色鮮やかさや派手さ）が欠落し、強調されないことがしばしばあります。プレゼンテーションは簡潔で分かりやすいものでなければなりません。スウェーデン人は、過度にポジティブな言葉で飾り立てたプレゼンテーションより、事実に基づいたプレゼンテーションを好みます。

　朝食時のミーティングは一般的ではありません。ただ、外国からスウェーデンを訪問しているビジネスピープルとはホテルで行うことがあるようです。
　ビジネスランチやディナーは、今では昔よりめずらしくなくなりましたが、ふつうそうした場ではビジネス上の決定は行われません。相手のスウェーデン人のやり方に合わせましょう。もし相手がビジネスの話をしだしたら、こちらもその話をしてよいということです。しかし、こちらからビジネスの話を切り出すのは避けた方がよいでしょう。ビジネスランチの予約は早めに行いましょう。フォーマルなレストランがお勧めです。

◆Business Meetings in the UK
イギリス

　アポイントメントは数日前にとっておき、イギリスに着いたらすぐに確認するのがよいでしょう。アポイントメントなしの訪問は歓迎されません。
　子供のいるビジネスピープルが休暇に入る7月と8月は、アポイントメントは避けた方がよいでしょう。イースター（159ページ）は一般的に祝日です。また5月にはバンク・ホリデー[※1]が2回あります。軽率に訪問すると失敗するので注意しましょう。
　イギリスのPLC（公開有限会社）[※2]は、クリスマス前から年頭にかけてふつう完全に休みます。
　最もアポイントメントのとりやすい時間帯は、午前11時ごろと午後4時ごろです。

朝食をとりながらミーティングを行う習慣は、ロンドンなどの大都市を除いてはほとんどありません。また、初めてのミーティングが昼食や夕食をとりながら行われることもほとんどありません。

　時間を守るのは当然のことですが、実際、1対1のミーティングに多少遅れても、気にする人はほとんどいません。しかし、複数の人間が参加するミーティングでは、次の約束がある人がいる可能性が高いので、遅れないように特に注意しましょう。一方、社交的な行事に時間通りに到着することは、礼を失することになりますので、不体裁でない程度に、指定された時刻の10分後くらいに着くよう心がけましょう。

　ミーティングはときとして、組み立てと方向性がほとんど示されず、一見無秩序に見えることがあります。これはすべての参加者に発言を許すという英国民主主義の伝統にのっとっているのですが、誤った方向にミーティングが進んでしまうこともあります。

　チームワークを重視する一方、イギリスのビジネス社会には依然として根深い階層制が存在し続けています。幅広い意見が尊重され、全体のコンセンサスには達しやすいのですが、多くの場合、最終決定をするのは、ミーティングを運営する、しないにかかわらず、取締役層のような、力を持った個人です。

　決定する上で、前例が重要な判断基準となります。イギリス人は、既成のルールと慣例に従う傾向があり、組織に属するすべてのビジネスピープルにとって、組織の企業方針は最優先事項となっています。提案書が、過去の前例に従っているなら、成功する見込みが増すでしょう。意思決定のスピードは遅く、慎重なプロセスをとるので、決定を急がせたり、プレッシャーをかけたりするのは逆効果となることがよくあります。決定権を持つ人から、実質的に取り返しのつかない最終決定をされてしまうことにもなりかねません。

[※1] バンク・ホリデー：文字通り銀行のための休日から派生したもので、5月は第1月曜日（＝メーデー・バンク・ホリデー）と最終月曜日（＝スプリング・バンク・ホリデー）がこれにあたる。地域によって時期が違ったり、別のバンク・ホリデーがあったりするので事前にチェックが必要。

[※2] PLC（公開有限会社）：株主の責任が所有株式の額面金額に限られる有限責任会社で、授権資本が5万ポンド以上あり、株式が公開市場で取引される会社のこと。社名の末尾にPublic Limited Companyまたはその略語PLCなどを付けなければならない。日本の株式会社に相当。

◆Business Meetings in Russia
ロシア

　ロシアでは、アポイントメントをとることはとても大変なことであり、根気強さと忍

耐力が必要です。いったんアポイントメントがとれたならば、キャンセルを避ける手立てをとりましょう。

　アポイントメントは十分に時間に余裕を持ってとりましょう。約束の日が近づいてきたら、何度でも確認することが大切です。7月末から8月いっぱいは、多くのロシア人が休暇をとる時期なので、ビジネスでの訪問は避けましょう。

　ロシアの人々の朝は基本的に早いのですが、具体的な始業・終業時間は気まぐれと言ってよいほど、日によってまちまちです。スケジュールは常に変わりやすく、土壇場での変更もよくあります。さらに、ビジネス・ミーティングや社交行事には時間に限度がないものと考えられています。訪問者は時間厳守に努めるべきですが、同時に柔軟性も必要です。

　常に時間厳守を心がけましょう。ただし、相手のロシア人が遅れても驚かないようにしましょう。ロシア人が約束に1～2時間遅れるのはよくあることです。一般的に、そのミーティングがロシア人にとって重要であればあるほど、彼らは時間通りに来るようです。待たされると予測される場合は、仕事など時間をつぶせるものを持っていくとよいでしょう。

　当初の予定より遅く始まったり、長く時間がかかったりするかもしれないので、アポイントメントには時間の余裕をたっぷりととっておきましょう。

　一般的な業務時間は、月曜日から金曜日の午前9時から午後5時までです。従業員が働く時間は、ふつう午前10時から午後6時までですが、地方ではそれよりも早く終わります。

　名刺はよく使われます。地域によっては電話帳が広く流通していないので、ときとして必要不可欠でさえあります。したがって、名刺は十分な数を用意しておきましょう。

　名刺の裏面にはロシア語（キリル文字）の翻訳を印刷しておくとよいでしょう。名前と肩書に加え、取得しているすべての学位を記載しましょう。ロシア語に訳された名刺を差し出す際は、相手にロシア語で書かれている面が向けられるように渡しましょう。人によっては、金銭的な問題などから、自分の名刺を持っていない場合があります。こうした場合は、電話番号や会社の住所など、必要な情報を書き留めておくとよいでしょう。

　手紙などすべての通信文は、迅速に受け取ってもらい、読んでもらうために、ロシア語に訳しておきましょう。ほとんどのオフィスでは、手紙は総務部が管理するの

ではなく、受取人が直接開封するため、遅れの原因となることがあります。ビジネスレターなどの通信文では、率直に要点を述べましょう。

　特に、ロシアの電話サービスを使って企業や官公庁とやり取りする際には、遅れを覚悟しましょう。ロシアでは、ファックス、コンピューター、コピー機といったものすべてがきちんと機能するか疑わしいので、必要な書類はすべて持参した方がよいでしょう。ただし、モスクワではこうした問題に遭遇することはあまりないでしょう。

　ロシアでは、以前ほどではないものの、いまだに根深い階級意識が定着しています。上司は部下に対してより強い権威を持ち、また最終的な決定権も上司にゆだねられています。

　ロシアでは、実際に権威や影響力のある地位にいる女性はごくわずかです。女性のビジネス訪問者は、いかなるときでもプロらしい身だしなみと振る舞いが欠かせません。しかし、たとえそうしたことを心がけたとしても、この国でビジネスを行うには相当な困難を伴うでしょう。

　ロシアでのミーティングは、たとえその中に決定権を持つ人がいた場合でも、参加者の情報交換や意見の共有の場になることが多いようです。

　最初に相手を訪問したとき、「ゲートキーパー」と呼ばれる周旋役が歓迎に来ますが、そういった人たちより、決定権を持つ人を第一に相手にするようにしましょう。また、訪問のだいぶ前から十分に計画をし、相手と連絡をきちんととっておきましょう。

　ロシアの法律はその解釈と適用が絶えず変化していますので、交渉にはロシアの法律に詳しい外部の専門家を置くようにします。

　ロシア人がこちらのことを個人的に知ろうと連絡してくることは、ビジネスを成功させる大事な要素のひとつです。また、こちらが現実的で、誠実で、信頼できる人物だという印象を与えることも大切です。

　ミーティングの席には、ソフトドリンク、紅茶、コーヒーなどの飲み物に加え、デニッシュやクッキーなどの菓子をたくさん用意しておきましょう。なお、飲み物はプラスチックのカップでは出さないようにしましょう。ロシア人はもてなしに大変時間をかける傾向があり、プラスチックの容器では冷めやすいことと、見栄えが貧弱であることが大きな理由です。

　オフィスのドアが閉まっているときは、ノックをし、許可があるまで開けずに待ちましょう。また部屋を出るときは、ドアがきちんと閉まっているか確認しましょう。

初めてのミーティングは、こちらの人物と会社が信頼できるかどうかを見極めるために、フォーマルな形式で行われることがよくあります。好戦的な態度や傲慢な態度を避け、穏やかで親しみやすい雰囲気を維持しつつ確固とした威厳を示すのが、最良の戦略でしょう。

　ロシア人はときどき、西側諸国の人々の専門的能力や経験に、多大な信頼を置くことがあります。それゆえ、ロシア人は私たち日本人に非常に大きな期待や要求をつきつけてくることがあります。ロシア人は、自分たちには、現在取り組んでいる分野で成功するための実績や経験があると、あなたに納得させようとするかもしれません。もしそのような主張が疑わしいと感じられたら、調査して真偽を確かめる必要があるでしょう。

　ロシア人は、実際には理解していないのに、理解していると言い張ることがあります。またときとして、相手が期待していると思えることを言おうとする傾向があります。

　ロシアは今、共産主義の価値観から、自由市場経済と民主主義の価値観に移行しようと奮闘している最中です。

　多くのロシア人は、欧米のビジネス社会の基礎となる概念を、いまだ誤解していたり、なじめないでいたりします。ロシア人に、モチベーションやフェアープレイ、個人の説明責任、さらに報酬、利益と損失、取引高、所有権、営業権、広報活動といった概念を説明し、受け入れてもらえるよう説得することが必要かもしれません。どんな場合でも、これらの用語は慎重に、かつ気配りを持って使うようにしなければなりません。ロシア人にとって、他国からの情報を受け入れることには困難が伴います。ときにはフラストレーションを通り越して、古いかたくななパターンに後退してしまうこともあります。

　プレゼンテーションは簡潔で分かりやすいものでなければなりません。余分な視覚資料や、不必要な装飾は必要ありません。

　仮に英語でプレゼンテーションを行う場合でも、販促資料などの書類はロシア語に翻訳されていることが大切です。また、通訳はロシア側からの紹介に頼るのではなく、こちらで用意した人物を連れていく方が得策といえます。

　いかなるプレゼンテーションでも、確固たる経験的事実といった、事実に基づくデータは重要ですが、全体的によい印象を与えることはさらに重要です。

Asian Countries
アジア諸国

◆Business Meetings in China
中国（香港・台湾は別項）

　中国では、4月～6月と、9月～10月がアポイントメントに最適な時期です。中国のビジネス社会では、アポイントメントに遅れることは、相手に対する無礼や侮辱と見なされます。

　企業や官公庁の業務時間は、月曜日から土曜日の午前8時から午後5時までです。しかし大都市では、週5日制となっています。中国では、社会主義の風潮が色濃く残っているせいか、金曜日の午後は仕事に対する意欲が減少する人が多いようです。そのため、この時間の官公庁への訪問や、ミーティングのスケジュールは避けた方がよいでしょう。

　多くの中国人労働者は、昼の12時から2時の間休憩をとります。この間は、エレベーターや電話を含めた、実質的にすべてのものがストップしてしまいます。

　アポイントメントをとる際は、旧正月[*1]などの祝祭日に十分注意を払いましょう。メーデー[*2]や国慶節[*3]の時期には、多くの企業が1週間近く休みをとります。これらの日付は、長期休暇を許可する政府の公式勧告に基づいているため、毎年変わります。

　中国人ビジネスピープルは名刺の交換に熱心なので、名刺は数多く用意しておきましょう。片面を英語で、もう片面を中国語（地域語が望ましい）にしておくとよいでしょう。もしあなたが決定権を持っているのであれば、それ相応の肩書も載せておきましょう。中国のビジネス社会では、名刺を交換する主な理由は、誰が決定権を持っているのか判断する点にあります。また、あなたの会社が日本で最も歴史がある、または有数の大企業である、もしくは名声のある分野を有しているのであれば、それらも名刺に表記しておきましょう。名刺の文字は金色で印刷するとよいでしょう。中国では、金色は名声と幸運をもたらす色とされているからです。

　いかなる種類のプレゼンテーション資料も、白黒で印刷されていなければなりません。中国の文化では、多くの色が否定的な意味を持つため、色の使用は避けるようにしましょう。

　中国では、組織内の様々な地位の人に対してプレゼンテーションを行う必要があります。したがって、訪問する前に、配布用の提案書を少なくとも20部は用意しておくとよいでしょう。

一般的に中国人は、他国からの情報を注意深く扱う傾向にあります。欧米で教育を受けた人を除き、中国人ビジネスピープルは、意見の形成や問題解決においては、個人の主観的感情と経験を重視します。
　ミーティングルームに入るときは、中国のビジネス・プロトコルに従って、序列通りに入室するのが通例です。そのため中国人は、部屋に最初に入る人物が相手側のトップであると決め込むことがよくあります。

　中国のビジネス社会では、序列というものにかなり重きが置かれるので、交渉には、議論をリードする人物として、会社の先輩や年長者を同伴するとよいでしょう。中国人は、こちらの先輩や年長者だけが、議論をリードする資格があると見なします。そのため、部下の発言により議論が中断されることは、いかなるものであっても、中国人には衝撃的なものと考えられます。
　中国のビジネス社会では、謙虚さが美徳とされます。大げさな主張は疑いの目で見られ、多くの場合、調査の対象となります。
　中国人は、優位に立とうとして、交渉を公式の期限を越えて引き延ばそうとすることがあります。こちらの訪問最終日でさえ、なおすべてにわたって交渉しなおそうとすることもあります。遅れの発生については、感情をあらわにせず耐え、穏やかに受け入れるようにします。また、期限については言及しないことが賢明といえます。
　ミーティングの終わりでは、こちらが相手の中国人よりも先に席を離れるようにします。
　目的を達成するためには、何回か中国を訪問しなければならないことを覚悟しておきましょう。中国人ビジネスピープルは、契約を締結する前に、強い関係を築くことを望みます。また契約を締結したあとでさえ、自分たちにとってより有利な取引を求めてくる傾向があります。

[1]　旧正月：春節、通常1月下旬～2月上旬。中国では最大の行事。
[2]　メーデー：国際労働節、5月1日。
[3]　国慶節：建国記念日、10月1日。

◆Business Meetings in Hong Kong
香港

　アポイントメントはできるだけ時間に余裕を持ってとりましょう。場合によっては、香港到着の少なくとも2カ月前にアポイントメントをとる必要があるかもしれません。
　ミーティングは、通常、時間通りに始まります。時間厳守は香港のビジネス社会に

おいては非常に重要で、相手に対する敬意の表れと見なされます。たとえ香港の混雑した道路事情による影響があったとしても、時間通りに着くよう努力しましょう。

　中国と同様の習慣を守って、必要なときには謝罪しなければなりません。例えば、約束に遅れた場合には、たとえそれがあなたのせいではなくても、大いに謝らなければなりません。その一方、相手が遅れた場合には、怒りや不快感は表さないようにします。こちらに時間の余裕がないと思われると、不利な状況に追い込まれるおそれがあります。

　企業は昼の12時から2時の間は閉まり、多くの重役たちは長めの昼食をとります。中国ではこの時間に多くの人が昼寝をする習慣がありますが、香港では一般的にこの習慣はありません。

　香港ではほとんどの企業が週6日制です。一般的な業務時間は、月曜日から金曜日は午前9時から午後5時まで、土曜日は午前9時から午後1時までですが、それ以上の時間働くことがよくあります。

　香港のビジネスピープルの多くは、夏休みやクリスマス、イースター（159ページ）、それに中国の旧正月（172ページ）の前後には休暇をとります。ビジネスでの訪問は10月、11月、もしくは3月から6月の間にスケジュールを立てるとよいでしょう。中国の旧正月の週は企業によっては完全に休みとなってしまうことがあります。

　社交行事の約束には、大抵の場合、30分ほど遅れて行くのが礼儀です。

　人口の大部分は中国人ですが、香港の文化は中国とは全く別のものです。香港と中国は実質的には同じであるという思い込みは間違っているので注意しましょう。

　香港は、勤勉さ、決断力、効率といった評判の上に成り立っています。また、香港の繁栄は、西（ヨーロッパ）と東（アジア）両方の強みを束ねる力に由来しています。起業家精神にあふれた、香港のビジネスのペースの速さは、アメリカ合衆国に匹敵します。

　名刺は、片面は中国語（広東語）、もう片面は英語（イギリス英語）で表記しましょう。名刺には、あなたの名前、肩書に加え、会社名と住所、オフィスの電話番号とファックス番号、電子メールアドレスを入れておきます。香港では、評判のある企業ならカンパニー・ロゴを持っているのが当然と見なされています。そのため、名刺には各人の属する企業のカンパニー・ロゴが印刷されているのが一般的です。

　香港では、従業員は、オフィスでの自分の地位や立場に見合った仕事とは何か

をはっきりと認識しています。そのため、こちらが従業員に何か仕事を依頼する際は、特に注意しなければなりません。彼らの責任より下、または責任外の仕事を頼むことは、香港のビジネス・プロトコルに対する重大な違反となるからです。香港では、怒りを表すことは好まれないので、ふつう、そういったふさわしくない依頼は静かに無視されます。誰に、どのような指示や命令を出したらよいのか不確かなときは、オフィスの管理アシスタントや部門長を通じて、それらの指示や命令を出すようにするとよいでしょう。彼らは、どのようにすれば従業員たちの体面を傷付けずに済むかよく分かっています。

　香港には、公平と従順を要求する強い権威構造があります。たとえあなたがリラックスしたインフォーマルな管理スタイルを好んでも、従業員は、あなたと自分たちの間に一線を画すことが重要と考えるでしょう。賛辞や、「おはよう」といったあいさつ、あるいは「どうぞ」、「ありがとう」といった丁重な言葉は常に歓迎されますが、なれなれしすぎると権威を維持しにくくなります。どんな批判も、穏やかに慎重に行うようにします。これらは間に適切な人をはさんで行われれば、さらに効果的となります。

◆Business Meetings in Taiwan
台湾

　台湾では、コネが極めて重要です。現地に知り合いがいない場合は、銀行や通商部を通して人を紹介してもらいましょう。

　台湾への出張は、4月から9月の間がベストです。1月から3月は多くのビジネスピープルが休暇をとるので、避けた方がよいでしょう。

　一般的な業務時間は、月曜日から金曜日は、午前8時半から12時までと午後1時から5時まで、土曜日は午前8時半から12時までです。

　官公庁は、月曜日から金曜日は、午前8時半から12時半までと午後1時半から5時半まで、土曜日は午前8時半から12時までです。

　台湾人ビジネスピープルは、午後1時半から2時まで昼寝をすることがあるので、午後2時にアポイントメントをとることは、相手の目が完全には覚めていないかもしれないので避けた方がいいでしょう。

　夜遅くまでバーやナイトクラブ、レストランで過ごすことは、台湾ではビジネスの一部となっています。そのため、お互いが十分に休めるよう、午前中のアポイントメントは遅めにとる方が賢明でしょう。

　外国人の訪問者には時間厳守が求められますが、台湾人ビジネスピープル自体は時間にはさほどこだわりません。相手の台湾人が約束の時間に遅れて来ても、不快

感をあらわにしないようにしましょう。

　台北の交通はとても混雑しているので、次のアポイントメント先が歩いて行けるほどの距離でない場合は、時間がかかることを予測しておきましょう。もし10分以上遅れそうな場合は、事前に電話を入れて相手に伝えましょう。
　名刺は、日本と同じように、両手を添えて文字が相手の方を向くように差し出します。こちらから名刺を差し出したのに、相手から名刺をもらえない場合は、相手にビジネスの意思がないものと考えられます。
　台湾人は、穏やかな世間話から、ミーティングに入っていくことがよくあります。

　交渉では、台湾人ビジネスピープルは抜け目なさを発揮します。値引き交渉は台湾のビジネスでは当たり前のことなので、あらかじめ妥協案を準備しておく必要があります。
　台湾のビジネス社会では、関係は尊敬と信頼の上に成り立っています。よい関係の構築には、時間がかかります。合意に至るまでに、何度か台湾を訪れる必要があるかもしれません。
　交渉チームには、年配の重役を加えましょう。これは成功するための必須条件です。台湾の文化では、年齢と地位を深く敬う傾向があるので、年配の重役を加えることで、こちらがビジネスの関係づくりに真剣であることを示すことになります。
　年配者には敬意を持って接しましょう。あいさつをするときは、相手の中で年配者と思われる人に対して先にします。また、年配者の前でタバコを吸ったり、サングラスをかけたりしてはいけません。
　ドアなどの出入り口では、年配者に先を譲りましょう。一度断られても、重ねて譲りましょう。
　台湾では謙虚さが非常に重視されます。相手の許可があるまでは、オフィスに入ってはいけません。また、相手に言われるまでは、座ってはいけません。
　ミーティングでは、あまり堅苦しくない席が用意され、コーヒーやお茶がよく出されます。ビジネスの話をするのは、相手が切り出すまで待ちましょう。
　交渉の席では、最も地位の高い人がテーブルの中央に座り、2番目がその右側に、3番目がその左側に、という順で座ります。台湾側も同じ順で座るので、誰が相手方の重要人物なのかすぐに分かるでしょう。座り方は、ソファーに座るときも同じです。

　提案書は、相手が目を通しておけるよう、前もって送っておくとよいでしょう。

プレゼンテーションでは、重要なポイントを最初と最後に要約しましょう。
　提案書の内容を詳細に話し合えるよう、準備しておきましょう。広範囲にわたって質問を受ける可能性が高いので、提案書の内容をいくつかのパートに分けて、それぞれに質疑応答の時間を入れるとよいでしょう。相手チームのトップには、たとえその人が英語を分からなくても、必要に応じて話しかけましょう。
　グループという単位で物事の決定が下されることはあまりありません。台湾では、決定はグループよりも個人によって下される傾向があります。
　交渉では、台湾人はこちらを根負けさせる戦術として、故意に遅れを生じさせることがあります。期限のことについて言及したり、不満を言ったりしない方がよいでしょう。
　伝統的に、契約の締結にはサインの代わりに「チョップ[※1]」と呼ばれる印鑑が用いられます。木製または石製のこの「チョップ」には、組織のシンボルやロゴが刻まれていて、書類に赤インクで捺印することで、契約の締結を示します。もし台湾で長期にわたりビジネスをすることが予測されるならば、自分の組織の「チョップ」を入手しておけば必ず役に立つでしょう。

　[※1] チョップ：インドや中国のビジネス社会で使われる印鑑。

◆Business Meetings in South Korea
韓国

　韓国人ビジネスピープル、特に経営トップ層は多忙で、分刻みのスケジュールのためアポイントメントに遅れることがあります。相手が遅れて来ても、怒りや不快感を表さないようにしましょう。一方、交通手段がしばしば遅れの原因になりますが、ビジネス訪問者は時間通りでなくてはなりません。
　ビジネス・ミーティングに最適な時間は、午前10時から12時と、午後2時から4時です。前もってアポイントメントをとっておくことは必要ですが、相手との関係によっては直前の知らせでも可能でしょう。韓国にはビジネスランチやディナーの習慣があるので、ミーティングがホテルの喫茶店や、レストランで行われることもあります。

　7月中旬から8月中旬にかけて、1週間ほど休暇をとる韓国人ビジネスピープルが多いため、この時期のアポイントメントは控えるようにしましょう。また、旧正月（172ページ）や秋夕[※1]といった重要な祝祭日もアポイントメントをとるには向かない時期です。旧暦の祝祭日の日付は年によって変わるので、韓国のカレンダーでチェックしておきましょう。
　一般的な業務時間は、月曜日から金曜日の午前9時から午後5時までです。韓国

の企業は現在、週5日労働制を実施中ですが、土曜日も営業している会社も依然としてあります。

グループミーティングに参加する際は、訪問者側の一番地位の高い人、その次に地位の高い人、というように地位の高い順に部屋に入るようにします。韓国人は地位に応じて席に着くので、もし韓国人ゲストをどこに座らせたらよいか、または自分自身がどこに座ったらよいかが分からなかったら、相手の韓国人に尋ねましょう。

韓国人は名刺交換に熱心なので、とにかく多めに名刺を用意しておきましょう。実際、韓国を訪れたビジネスピープルには、もっとたくさん名刺を用意しておけばよかったと感じている人も多くいます。万が一、名刺を多めに用意しておくのを忘れてしまった場合は、現地で印刷するか、後日相手にあらためて送ることを約束してもよいでしょう。

韓国では人は地位によって判断されるので、名刺には肩書を強調しておきましょう。こうすることによって、こちらの責任範囲や、こちらがどのくらい決定権を持っているかを、受け取った相手が理解しやすくなります。しかしこのことが最も重要なのは、こちらの肩書を知ることによって、相手がこちらの地位と見合った人物を同席させられるようになる点です。

韓国人は、知らない人や、お互いに連絡をとり合っていない人に対しては懐疑的になる傾向があります。そのため、まめに連絡をとって個人的な関係を持つことが重要です。共通の友人や知り合いを通して、個人的な紹介を得ておくのもよいでしょう。

提案書は、相手方が事前に目を通しておけるよう、訪問する前に送っておくとよいでしょう。

こちらの交渉チームを選ぶ際は、韓国側のメンバーがどういった人たちなのかをできるだけ調べておきましょう。そして、こちらのメンバーの地位を、韓国側のメンバーの地位に合わせるようにしましょう。韓国では地位は非常に大切なものと考えられています。そのため、メンバーの地位に釣り合いがとれていないミスマッチな人選は、お互いを困惑させることになります。地位の高い人物をメンバーに選ぶことは、それだけこちらが取引に対して真剣に興味を持っている証拠と見なされます。

交渉の最中、韓国人はアジェンダに沿うことなく、次々と話題を変えることがあります。また何度も同じような質問を繰り返すこともあります。このような場合は、辛抱強く耐えなければなりません。交渉している事項のうち、何が相手方にとって最

も重要なのか分からなくなってしまったら、穏やかに相手に尋ねましょう。

韓国では、個人的な人間関係はビジネスよりも優先されることを覚えておきましょう。初めてのミーティングは大抵、相手を知り、親密な関係を築くために費やされます。もし、ミーティングの冒頭にお茶やコーヒーを勧められたら、すでにどこかで飲んできていたとしても、快く相手の好意を受け入れましょう。ただし、すべて飲み干す必要はありません。相手の韓国人がフォーマルに振る舞う限りは、こちらもそれに倣い、過度な親密さを見せることは避けましょう。合意に達するため、また商談を締結するためには、何回も韓国に行かなくてはならないかもしれません。

ミーティングはちょっとした世間話から始まるのが通例です。ビジネスの話は、相手が話し出すまで待ちましょう。

韓国では、礼儀をわきまえた親密な関係が、ビジネスを成功させる鍵となります。この関係を築くためには、取引において誠実で正直であることが大切です。訪問後は、電子メールや電話で接触を続けましょう。

※1 秋夕：「チュソク」と呼ばれる旧暦の8月15日。通常9月〜10月。韓国人にとっては旧正月とならんで大切な休日。

◆Business Meetings in India
インド

インド人は時間厳守を歓迎しますが、彼ら自身は常に時間厳守というわけではありません。土壇場になってミーティングの予定が変更されることがあるので、スケジュールには十分に柔軟性を持たせておきましょう。

手紙によるアポイントメントの要請は、インド到着の2カ月ほど前に行いましょう。

ビジネス・コンタクトをとるときは、最も地位の高い人をねらいましょう。インドでは、決定権を持つのはそういった地位の人たちだけです。

ミドルマネジャー層の人たちは、決定権は持ちませんが、ある種の影響力を持ちます。ミドルマネジャーの支持を得れば、こちらの提案を推し進めることができるでしょう。一般的に、ミドルマネジャーはとっつきやすく、一日のどの時間でも大抵喜んで会ってくれます。

インド人の重役たちは、午前中遅くか午後早い時間、11時から4時の間のアポイントメントを好みます。

民間企業の業務時間は、月曜日から金曜日の午前9時半から午後5時までで、昼休みは通常1時から2時までです。

インドへの最適な訪問時期は、猛暑とモンスーン[※1]の時期を避けた10月から3月

の間です。
　名刺の交換は通常行われますが、ヒンディー語などのインド特有の言語に翻訳されている必要はなく、英語で問題ありません。

　交渉において、インド人の仲介者を持つことは有益です。インド人の同僚を連れて行ってもよいですし、インドの複雑な官僚社会でうまく立ち回り、必要な書類にサインと捺印をしてもらえる方法に詳しい人を雇ってもよいでしょう。
　インドでは、他国からの情報や新しい概念というものは、広く浸透している宗教の教えと社会構造に矛盾しない場合のみ、受け入れられます。
　インド人は、国の学校制度が暗記学習に重点を置いているので、抽象的・分析的な思考をあまりしません。しかし、高い教育を受けたインド人ビジネスピープルは、その限りではありません。
　インドのビジネス社会では、何が真実なのかという判断は、感情により左右される傾向があります。また、宗教イデオロギーに対して強い信仰を持つことも一般的です。

　感情と信仰の両方に訴えかける議論は、単に客観的事実や経験的事実を並べ立てる議論よりもインド人には説得力があります。
　カースト制度[※2]は、インド社会において依然、重大な影響力を持ち続けています。
　インドにおけるビジネスの多くは家族を中心に運営されています。そのため親族と交渉することがあるかもしれませんが、最終的な決定はいつも家長がします。
　インドでは、あらゆる物の値段が交渉によって決められます。様々なカーストに属する企業と取引することで、妥当な価格が分かるようになるでしょう。
　建て前上は法律の下での平等がありますが、カースト間の不平等はインド人の生活では現実のものとして受け入れられています。
　強固で、首尾一貫した社会構造であるため、生活に不安はほとんどありません。なぜなら、人はその社会や職場で、自分が居るべき場所を理解し容認しているからです。
　インド社会の階層的性質により、上司は最も権力を持つ人物と見なされます。その典型的な例として、上司が部屋に入るたびに、従業員は尊敬を表す意味で立ち上がったり、たとえ上司が間違っていると分かっていても反論せず、言われた通りに仕事をしたりします。
　インドのビジネス社会では、上司がすべての決定をし、またすべての責任を負い

ます。そのため、部下が責任を負いたがらないことに気付くでしょう。上司には多くのプレッシャーがのしかかるため、リーダーシップをとるのに適任なインド人の従業員が、そういった地位に就きたがらないことがよくあります。

インドでは、地域や州により、異なった祝祭日が数多くあります。宗教上の祝祭日が頻繁にあり、その間は仕事をしません。祝祭日の日付[※3]は毎年変わるので、訪問スケジュールを立てる前にインド領事館や大使館、旅行会社などに問い合わせて確認しておきましょう。

スケジュールの組み直しや遅れは、インドでビジネスを行う上で避けられないものと覚えておきましょう。これは、各世帯で、子供の結婚や出産、または葬式などの儀式を行ったり、年老いた両親や家族の面倒を見たりするのは、男性の責任とされていることからきています。

[※1] モンスーン：インド洋上を吹く季節風、またはそれがもたらす気候帯のこと。6月からほぼ半年交代で、夏は南西から北東に、冬は北東から南西に吹く。語の由来はアラビア語の「マウシム」で、「季節」、「季節風」を意味する。

[※2] カースト制度：カーストとはポルトガル語で「家柄」、「血統」を意味する「カスタ」に由来している。インドの結婚、食事、職業などに関する厳格な規制の下に、そのカーストを経済的な相互関係と上下の身分関係で統合した制度がカースト制度である。日本では、カーストというとインド古来の四種姓、すなわち司祭階級バラモン、王侯・武士階級クシャトリヤ、庶民（農・牧・商）階級ヴァイシャ、隷属民シュードラの意味に理解されることが多いが、実際には世襲制の職業別に2000以上にも細分化されている。また、その枠組みの外に置かれた不可触民（現在では「指定カースト」と呼ばれている）も存在する。

[※3] 祝祭日：新年（1月1日）、共和国記念日（1月26日）、独立記念日（8月15日）、マハトマ・ガンジー生誕日（10月2日）、クリスマス（12月25日）以外の祝祭日は、太陰暦を基にしているため毎年日付が変わる。

◆Business Meetings in Indonesia
インドネシア

インドネシアでは、大抵の企業は急なアポイントメントを喜んで受け入れてくれますが、大企業になると1週間以上前にアポイントメントをとるよう要求してきます。

一般的な業務時間は、月曜日から木曜日の午前8時から午後4時までと、金曜日と土曜日の、午前中の数時間です。企業によっては、たとえイスラム教徒の従業員が最低1時間の祈りの時間をとるとしても、金曜日にも終日業務を行うところがあります。土曜日は、通常午後1時には業務を終えます。昼休みは伝統的に12時（または12時半）から1時半までで、しばしば一日で最も大がかりな食事時間となります。ほとんどの官公庁は、月曜日から木曜日の午前8時から午後4時までと、金曜日また

は土曜日の半日という業務時間を遵守しています。

　ビジネスの取引や連絡はしばしば英語で行われますが、公用語であるインドネシア語（バハサ・インドネシア）を使うと喜ばれます。また、官公庁との書類のやり取りにはインドネシア語を使わなければなりません。広告や出版にも、インドネシア語を使うことが義務付けられています。
　官公庁職員の多くは、多少英語を話しますが、インドネシア語でのミーティングが好まれます。幸運なことに、英語を話せる通訳は比較的簡単に見つかります。

　インドネシアのビジネスピープルの大多数を占めるのは中国人で、彼らはミーティングやアポイントメントの時間に正確です。しかし他のビジネスピープルや、多くの官公庁職員はマレー系の人たちで、彼らの時間概念は中国人のそれとは大きく異なっています。一般的にマレー系の人たちは、効率や時間厳守、期限といったものには重点を置かない傾向があります。それゆえにインドネシアには、「ジャム・カレッ（ゴムの時間）[※1]」という言葉まで存在します。したがって、マレー系の人たちとの取引においては、忍耐強く相手に合わせることが重要です。インドネシア人が時間に正確かどうかは、彼らが組織の中でどのような地位にいるかによります。例えば、地位の低い人（部下）は、地位の高い人（上司）とのミーティングには絶対遅れてはなりません。これは、人を待たせることは地位の高い人にとっての特権という考えがあるからです。地位の高い人は、すべての参加者が自分より地位が低いと知ると、ミーティングなどにあえて遅れて来ようとします。

　インドネシアをビジネスで訪問する場合は、すべてのビジネスの約束に対して時間通りであることが期待されます。これは特に、会う相手がこちらより社会的な地位が高い場合に当てはまります。インドネシア人はときどき、ミーティングに2時間も遅れることがあるので、仕事や本など、時間をつぶせるものを持っていくとよいでしょう。

[※1]　ジャム・カレッ：「ジャム」は「時間」、「カレッ」は「ゴム」という意味のインドネシア語。ゴムのように伸び縮みするような時間感覚を表す。

◆Business Meetings in Malaysia
マレーシア

　官公庁とのすべてのやり取りには、マレー語(バハサ・マレーシア)を使わなければなりません。必要なら、英語の翻訳を付けてもよいでしょう。

　多くのマレーシア人はイスラム教徒ですが、必ずしもそのすべてが、金曜日を休日とし、木曜日と金曜日を週末とする伝統的なイスラムの勤労日に従っているわけではありません。イスラム教の勤労日(土曜日から水曜日の週5日制)に従っているのは、プルリス、クダー、クランタン、トレンガヌ、ジョホールの5州だけです。

　首都クアラルンプールがあるスランゴール州では、月曜日から金曜日を勤労日としています。クアラルンプールにある企業の一般的な業務時間は、月曜日から金曜日の午前8時から午後5時までですが、土曜日も半日(通常は午前中)だけ営業する企業もあります。

　イスラム教の教えに忠実な先の5つの州では、土曜日から水曜日が勤労日です。これらの州では、木曜日も半日(通常は午前中)だけ営業する企業もあります。

　国の大部分の人がイスラム教徒であるため、礼拝の時間を避けてミーティングを予定するのが賢明です。例えば、金曜日の昼の12時ごろは礼拝者にとって特に忙しい時間です。クアラルンプール以外の都市では、金曜日の午後は多くの企業が休みになります。

　従来、昼休みは12時(または12時15分)から2時まででしたが、12時から1時までのように、1時間に短縮されてきています。ですが、それにもかかわらず昼食に1時間以上かける人はまだいます。金曜日が勤労日の州では、イスラム教徒はモスクでの礼拝のため2時間以上の休憩をとります。

　アポイントメントは少なくとも2週間前にはとるよう心がけましょう。まだマレーシアに着いていないのなら、1カ月先のアポイントメントをとるのが得策です。マレーシア人の重役は、主に彼らの職業上興味のある分野のミーティングに参加するため、しばしばオフィスを留守にすることがあります。

　官公庁の業務時間は午前8時半から午後4時45分までです。また、土曜日も、午前8時半から12時まで業務を行っています。ただし、イスラム色のより強い州では、土曜日ではなく、木曜日の午前8時半から12時まで業務を行います。

　商店の業務時間は様々です。多くの店は週5日から6日、午前9時(または10時)から午後6時(または7時)まで営業します。

マレーシアの祝祭日は州によってまちまちです。イスラム色の強い州では、クリスマスやイースター（159ページ）といった非イスラムの祝祭日は祝いません。

　マレーシアのビジネス社会では、中国系のマレーシア人が最大勢力を持っています。彼らは比較的時間には正確ですが、官公庁職員の多くは時間厳守をあまり気にしないマレー系です。ビジネスで訪問する場合は時間厳守が期待されますが、マレー系の人たちが時間に正確とは限りません。
　少数民族であるインド系の人たちの時間に対する感覚は、マレー系の人たちと似ていますが、専門教育を受けたインド系の人たちは、時間に正確なのが一般的です。
　マレーシアでは、常に時間厳守に重きが置かれているわけではないのですが、それでもアポイントメントの時間には遅れずに到着しなければなりません。たとえ待たされることが分かっていても、時間通りに着くよう努力しましょう。
　異なる文化集団を交えた社交行事では、様々なルールがあります。一般的に、社交行事に招待されたら、ほとんどのマレーシア人は時間通りに来ます。遅れるとしても、ほんのわずかな時間です。いかなる場合でも、30分以上は遅れないようにしましょう。
　中国系のマレーシア人には、相手に何か決定を求める質問をする際、肯定・否定両方の選択肢を提示することが丁寧と考えられています。例えば、"Would you like to go to the theater?"（劇場に行きたいですか。）と聞く場合は"Would you like to go to the theater or not?"（劇場に行きたいですか、行きたくないですか。）と質問します。
　中国系のマレーシア人に否定文で質問するときは注意しましょう。例えば、"Isn't the document available?"（書類はまだできていませんか。）と英語で質問すると、ふつうは、"No, the document is not available."（いいえ、まだできていません。）と"No"を使って答えますが、彼らはそうではなく"Yes, the document is not available."（はい、まだできていません。）と"Yes"を使って答えます。
　欧米人と異なり、すべてのマレー系の人たちは会話における沈黙をよしとします。沈黙によって、思考をまとめる時間をとることができるのです。しかし、この沈黙は、必ずしも相手の意見やアイデアを受け入れたり、拒否したりすることを意味するわけではありません。
　マレーシアのビジネス・プロトコルでは、質問された側は質問に答える前に、相手に対する尊敬の念を込めて10～15秒ほどの間を置くことになっています。欧米人はこれを相手が自分たちに合意した証拠だと勘違いし、マレーシア人が意見を言う前に話を進めようとすることがあります。

Latin American Countries
中南米諸国

◆**Business Meetings in Brazil**
ブラジル

　ブラジルのビジネス社会では英語が広く使われています。

　どのようなアポイントメントも、少なくとも2週間前にはとるようにします。ブラジルのビジネスでは、アポイントメントなしで直接オフィスを訪れることは受け入れられません。会おうとする相手が高い地位の重役であればなおさらです。

　一般的に、アポイントメントに最適な時間帯は、午前10時から12時と午後3時から5時とされます。

　「灰の水曜日」(四旬節[※1]の始まりの日)に先立つ「カーニバル[※2]」前後は、いかなるアポイントメントも避けましょう。

　一般的な業務時間は、午前8時半から午後5時半までですが、地位の高い、特に決定権を持つような人たちは、午前中遅くに仕事を始め、夜遅くまで働くことがよくあります。

　時間に無頓着であることが、ブラジルのビジネス社会の特徴といわれています。この国では、相手のブラジル人を辛抱強く待つことも、ビジネスの一部であると覚えておきましょう。また、主要都市では交通渋滞が激しく、しばしば遅れの原因となります。

　ビジネスでブラジルを訪問する際は、時間を守るよう努力しましょう。相手を待っている間の時間を活かすため、仕事や、何か気晴らしができるものを持参した方がよいかもしれません。

　レストランでの会食やミーティングには、常に時間通りに着くようにします。特にこうした機会には、ブラジルのビジネス・プロトコルでは時間厳守が要求されます。

　交渉で、満足の行く結果を求めるのであれば、何回かにわたる訪問も覚悟する必要があります。こちらの交渉チームを変更することは、契約全体を危険にさらすおそれがあり、またブラジルのビジネス・プロトコルの観点からも重大な違反と見なされます。ビジネスではなく、人々とその関係を重視していることを強調した方がよいでしょう。

　ブラジル人は名刺交換に熱心なので、名刺はたくさん用意しておきましょう。名刺、販促資料、プレゼンテーション資料など取引に必要な書類は、ポルトガル語と

英語の両方で印刷しておきます。ブラジルの大都市には、名刺を24時間以内に翻訳・印刷してもらえる店や会社があります。

　ブラジルのビジネスは、サンパウロ以外の都市では、インフォーマルな雰囲気の中、ゆっくりとしたペースで進むのが通例です。しかし、初めてのミーティングはフォーマルな雰囲気で行われます。
　ブラジルのビジネス・プロトコルでは、穏やかな世間話からミーティングを始めることが大切とされています。これは、いきなりビジネスの話題に入ることは、単に相手に不快な思いをさせるだけだと考えられているからです。
　一般的にブラジル人は、いろいろな話題（特にビジネス関係）を話し合うことにオープンです。しかし、私生活についてはあまり話したがらない傾向があります。
　たとえ重役であっても、個人用のオフィスを持つことは、ブラジルではあまり一般的ではありません。そのため、ミーティングがしばしば中断されることを心しておく必要があります。
　一般的にブラジル人は、分析的で抽象的な思考をします。また、法則や規則からある種の基準を求めるより、個々の状況に焦点を当てようとします。

[※1]　四旬節：灰の水曜日から復活祭（イースター）までの、日曜を除いた40日間を指す。敬虔なキリスト教徒は、この期間を断食と懺悔をして過ごす。
[※2]　カーニバル：四旬節が始まる3日～1週間前に行われる謝肉祭。年によって日程は異なるが、通常2月中旬～3月上旬。

◆Business Meetings in Mexico
メキシコ

　メキシコ人は、外国人とのアポイントメントを、相手が実際にメキシコにいると分かるまでは、とりあえずの約束と見なすことがよくあります。したがって、到着してから電話やファックスでアポイントメントを確認することが大切です。その際には、相手にこちらがメキシコにいること、そしてこちらの滞在場所と連絡方法をきちんと知らせましょう。
　都市部における業務時間は、午前9時から午後6時までですが、官公庁はもう少し遅く、午後9時以降まで開いています。昼食はビジネスの大切な一部で、午後1時半から3時ごろにまで及びます。地位の高い官公庁職員は、かなり遅く、4時半ごろに昼食をとることがあります。メキシコ人は、週末は家族と過ごすためのものと考えているため、土曜日と日曜日はまず働くことはありません。

メキシコでのミーティングは、重要な社会的要素を含んでおり、朝食や昼食、あるいは夕食をとりながらミーティングが行われることがよくあります。時間は相手に任せますが、メキシコシティは標高約2300メートルもの高地であるため早朝は身体が気圧・気温などに慣れにくく、そのまま朝食をとると身体が変調をきたすことがあるので、朝食はあまり早い時間にとらないようにしましょう。

　メキシコのビジネスは、スローペースで、穏やかで友好的な雰囲気で進められます。話し合いのためには、メキシコ人は新しいアイデアや概念などをよく受け入れますが、それによって彼らの意見が大きく変わるということはありません。高等教育を受けたメキシコ人は、経験的事実などの客観的事実を重視し、よく議論に利用します。

　プレゼンテーションでは、見栄えのよい視覚資料を使いましょう。ただし、メキシコ人が見たいと言うまでは、プレゼンテーションはそれほど価値を持ちません。また、プレゼンテーションは友好関係の代わりとなるものではありません。

　交渉はだらだらと長引くことがよくあり、なかなか合意には達しないでしょう。

　メキシコ人は、ダイレクトに"No"ということを避け、日本で見られるように"Maybe."（おそらく。）や"We'll see."（様子を見ます。）といった言葉で、返事をごまかすことがあります。こちらも取引では、こういった婉曲表現を使うようにしましょう。さもないと、相手はこちらが粗野で攻撃的だと見なしかねません。

　手紙、メモ、報告書、販促資料など取引に関する様々な書類の見栄えと中身は、非常に重要と考えられ、綿密な吟味がなされるでしょう。

　ミーティングの最中には、書類をテーブルの上に投げ置かないようにしましょう。こうした態度は、大変攻撃的と見なされます。

　メキシコのビジネス社会では、部下は意見などを言うよう奨励されますが、最終決定をするのは最高権威者（通常は経営者）だけです。最終決定がされたら、書面による合意に移りましょう。

Middle Eastern Countries
中東諸国

◆Business Meetings in Israel
イスラエル

　すべてのアポイントメントは時間に十分余裕を持ってとるようにしましょう。中東では、アポイントメントなどをお願いする場合、頼みごとをする側が待たされるのが当たり前です。相手と、よほどよい関係が構築されていない限りは、アポイントメントは一日に1つか2つにとどめておくようにしましょう。

　多くの中東地域では、時間厳守はさほど大きな重みは持ちません。これは特にセファルディ（スペイン・ポルトガル・北アフリカ系のユダヤ人）とパレスチナ人にいえることです。しかし、あなたが会う人が時間を守る人なのか、それともあなたを待たせておくような人なのかは、実際にその人を知らない限り、見分ける方法はありません。あなたが取引する人には、時間に関して欧米的な感覚を身に付けている人もいれば、そうした基準に従わず、約束に遅れて来るか、あるいは全く来ないという人もいるでしょう。アシュケナジ（ドイツ・ポーランド・ロシア系のユダヤ人）は、一般的に時間には正確であると言われていますが、それが彼らすべてに当てはまるというわけではありません。

　イスラエルを含むアラブ系社会では、取引をする際は、2人きりで話し合うことはまず不可能と言えます。訪問の際は、電話のみならず、取引相手の友人や家族が突然訪問してくるといった中断があることも覚悟しておきましょう。こうした状況に直面したら、静かに耐えて、相手に合わせることが最良の策でしょう。

　企業の業務時間は幅広く、営業日は経営者の宗教によって異なります。ユダヤ教系の企業の多くは金曜日の午後と土曜日が休みとなり、イスラム教系の企業は金曜日が休みとなります。また、キリスト教系の企業は日曜日が休みとなります。パレスチナ人は、イスラム教徒かキリスト教徒のいずれかである場合が多いことを覚えておきましょう。

　ユダヤ教の聖日である「安息日[※1]」は、金曜日の日没に始まり土曜日の日没に終わります。イスラエルでは、ユダヤ教系の企業はこの安息日にはいかなるビジネスも行いません。ユダヤ教系の企業の一般的な業務スケジュールは、日曜日から木曜日の午前8時から午後4時までと、金曜日の午前8時から午後1時までです。

イスラエルのビジネス社会では英語が使われます。

名刺は重要で、英語で書かれていることが望ましいでしょう。人によっては裏面をヘブライ語で表記していることもあります。活字を盛り上げた印刷の名刺が、最も格式のある名刺とされています。

販促資料は、必ずしもヘブライ語に訳されている必要はありません。多様な人口構成のため、北米、ヨーロッパ、ロシアなどの文化的影響を受けながらビジネスは進められます。

中東におけるビジネス・ミーティングは、通例ゆったりしたペースで始まります。これは訪問相手の健康や旅行に関して、長々と質問するためです。

ミーティングの席では家族の話題を出すことは控えましょう。

多くのイスラエル人には対抗的姿勢があり、彼らはときとして感情的なネゴシエーターになることもあります。こうした態度がミーティングの中でも見せられることを覚悟しておきましょう。

イスラエル人は議論を好み、なかなか意見を曲げません。だからといって、無理に彼らの言うことすべてに従う必要はありません。

ときとしてイスラエル人は、突然、彼らの反対意見を取り下げてしまうことがあります。これは、彼らの間に広く浸透している「人生は不要な議論に構っていられるほど長くはない」という運命論的思考、つまり「妥協して、取引を続けることが最良の策だ」という考えからきています。

イスラエルのビジネスでは、最終決定まで時間がかかるのがふつうです。

イスラエルは、競争の上に成り立った民主主義・平等主義的な文化を持ちます。避けられない不平等があるにもかかわらず、平等な権利がすべての人に保証されています。

イスラエルには、パレスチナ人やアラブ人に根強い偏見があります。さらには、他の国から入ってきたユダヤ人にもある種の偏見があります。

厳格な正統派ユダヤ教信者の男性は、生理中の女性は不浄なものと考えます。その結果として、こうした正統派男性信者はすべての女性に触れることを避け、不可抗力による接触をも防ぐ手立てをとります。女性から彼ら正統派男性信者に物を渡す場合は、彼らの手が届くテーブルなどの上に置きます。女性のビジネス訪問者が正統派男性信者に名刺を渡す際は、こうした習慣をしっかりと守らなければなりません。正統派男性信者は、ヤムルカと呼ばれる独特の帽子と黒い服で見分けがつくはずです。

ミーティングの終わりごろに、中東ではよくコーヒーが出されますが、アラブではお香がたかれることもあります。

[1] 安息日：安息日（シャバット）は、「7日を1週とする周期の最後の日（土曜日）を休息の日とする」という旧約聖書の教えからきている。ユダヤ人にとって神に感謝をささげる日で、敬虔なユダヤ人はこの日は一切の労働をしない。仕事はもちろん、車に乗ることも、料理を作ることも、金を使うことも、ペンを持つこともしない。しかし、近年は安息日を厳格に守ることに不便を感じている人は数多くおり、一般的なユダヤ人の中には、それほど厳格に守らなくなってきている人もいる。

◆Business Meetings in Saudi Arabia
サウジアラビア

サウジアラビアでは、企業は一般的に午前9時に業務を開始し、ズフル（昼過ぎの礼拝）[1]のために一時閉まったあと、30分ほど営業してまた閉まります。その後、午後5時から10時まで再度開きます。ただしこの間でも、マグリブ（日没後の礼拝）とイシャー（夜の礼拝）の際は閉まります。

官公庁と銀行は、上記の時間より1時間ほど早く業務を開始しますが、官公庁は夕方以降は業務を行わず、銀行はイシャーのあとに1日の業務を終了します。官公庁と銀行の営業日は通常、土曜日から水曜日ですが、銀行は木曜日の午前中も業務を行います。また、多くの小売業は週7日間営業しています。

欧米と同じく週5日労働が基本ですが、1週間は月曜日からではなく土曜日から始まります。

サウジアラビアでは、礼儀ともてなしが重んじられるあまり、遅れが生じて、厳密なスケジュール通りの進行が難しくなることがあります。したがって、正確な時間よりも、時間帯を指定してアポイントメントをとることが慣習的です。

礼拝の時間は季節によって変わり、現在の礼拝時間は新聞に毎日掲載されます。

「マグリブからイシャーまで」という言い方は、「午後6時から7時まで」という言い方よりもふつうに使われ、また実用的でもあります。ミーティングが礼拝の時間まで長引くことはまずないので、礼拝のすぐあとのアポイントメントは時間通りに始められると見ていいでしょう。加えて、これはどこの国でも有効ですが、午前中に最初のアポイントメントをとれば、アポイントメントを1日に最低3回、無理なく予定できるようになります。

しかし、アポイントメントをとるよりも、可能ならいつでも直接出向いて、相手と会えるわずかな可能性にかけるのがいいでしょう。すでに相手と面識があるなら、と

にかくいつでも、すぐに相手を訪れることが期待されます。もちろんこの逆についても同じことがいえ、相手がこちらの仕事の様子を見に、いきなり訪ねて来るということも覚悟しておかなければなりません。当然、相手の地位が高いほどこの作戦の効果は上がります。大臣たちのスケジュールは、かなり先までいっぱいになっているでしょうが、あちこち動き回り待ち構えることで、アポイントメントの間の思わずできた時間に会ってくれる可能性は十分にあります。しかし、万が一相手と会えなかったときは、相手の秘書に手紙を渡しておくことが賢明といえます。

　欧米とは異なり、サウジアラビアの秘書はその上司の約束を取り付ける権限がないのがふつうです。

　高い地位にある人たち（ほとんどは副大臣以上の地位）の間では、「コーヒー儀礼」と呼ばれるものによってスケジュールが保たれています。訪問客の到着時には、給仕が呼ばれ、小さなコーヒーカップ[※2]に真鍮製のポット[※3]から淡いカルダモン風味のサウジ・コーヒーを注ぎます。おかわりは3杯までにとどめるのが礼儀とされていますが、給仕は訪問客が空のカップを振って「もう十分だ」という合図を送るまで、注ぎ続けることがあります。その後給仕が去り、話し合いが始まります。

　話し合いでは、ビジネスの話題より、親しむための世間話が常に先にきます。

　給仕が2回目に呼ばれた場合は、時間がもうないという丁寧な意思表示であることを心得ておきましょう。給仕は訪問客にもう1杯コーヒーを注ぎますが、この際決して5分以上は長居してはいけません。5分以上はずうずうしいと解釈され、嫌われることになります。しかし、これはポットからサウジ・コーヒーを注いでもらう場合のみに当てはまることで、ふつうのオフィスで出される紅茶やトルコ・コーヒー（デミタス・コーヒー）にはそういった意味はありません。

　標準的なあいさつは、"As-salam alaikum（アッ・サラーム・アライクム）"（あなたがたに平安がもたらされますように）で、返事は"Wa alaikum as-salam（ワ・アライクムッ・サラーム）"（同意味）です。応接室に入る前に、訪問者は出入り口に立って、前者の言葉を述べます。相手から返事を受け取って、やっと部屋に入ることが許されます。返事がない場合は、あいさつを繰り返しますが、それでも返事がない場合は、相手に歓迎の意思がないことになります。

　部屋にじゅうたんが敷かれている場合は、汚れによりじゅうたんが不浄になり、礼拝の際に使えなくなるのを避けるために、靴を脱いで外に置かなければなりません。部屋に入ったら、最も年長の人（大抵はホスト役）に、最初に握手をしなけ

ればなりません。そして時計と反対回りに一人ひとりと握手を交わしたあと、イスに座り会話に参加します。

　論理的にそうする必要がある場合と、そうするように言われた場合を除いて、訪問者自ら話題を変えてはいけません。部屋に50人以上人がいる場合や、着席が困難な場合は、単にホスト役と握手をし、他の人たちにはあいさつするだけでよいとされることもあります。

　着席後、足を組むのは構いませんが、足の裏を相手に向けることは「立ち去れ」という無礼なジェスチャーになるので、絶対にしてはいけません。

　2人の人が同時に出入り口に立った場合は、それぞれの地位に関係なく右側の人が常に先に出入りします。

　名刺はよく使われますが、絶対に必要というわけではありません。使う場合は、アラビア語で書かれている名刺を使用しましょう。片面は英語、もう片面はアラビア語で表記する方法がよく使われます。しかし、活字を盛り上げた印刷の、上品な名刺が好まれる場合は、片面に英語とアラビア語両方を入れた名刺、もしくはそれぞれの言語で別々の名刺を用意するとよいでしょう。

　パンフレットや販促資料は、常にアラビア語に翻訳されていなければなりません。英語の訳は、付いていてもいなくても、どちらでもよいでしょう。

　サウジアラビアのビジネスは2通りのペースで進みます。カタツムリのように遅いペースと、光のように速いペースです。一見、2つにはさほど大きな差はないため、外国人にとっては、実際に仕事に着手するまで判断がつきにくいようです。だらだらと長く、収穫の少ない訪問が続いたあと、突然夜を徹した仕事になるようなことがあります。したがって、交渉は迅速でなければなりませんが、安易なものであってはなりません。

※1　イスラム教の礼拝：イスラム教には、1日5回の礼拝がある。朝から行われる順に、ファジュル（早朝）、ズフル（昼過ぎ）、アスル（午後）、マグリブ（日没後）、イシャー（夜）。
※2　「フィンジャーラ」と呼ばれる小さなコーヒーカップ。日本酒のさかずきに形や大きさが似ている。日本風にいえばおちょこのようなもの。
※3　「ダッラ」と呼ばれるコーヒーポッド。注ぎ口が長く、鳥のくちばしの形をしている。

Section 7

Frequently Asked Questions
よくある質問集

このセクションでは、英語でファシリテーションをする上で、多くの人から寄せられた疑問点についてお答えします。

質問1
よいミーティングにするためには何が必要でしょうか。

よいミーティングとは、効果的に行われ、目指す目的が最終的に結論として導きだされ、合意が得られるようなミーティングのことです。そのためには、一般的に以下のことが必要です。
- ミーティングのゴールや課題、目的が明記されているアジェンダがあること
- ミーティングを効率的に進行し、ゴールに到達するための明確なプロセスがあること
- 参加者に、自分のアイデアや意見が聞いてもらえ、ミーティングにかかわっていると感じさせるような、参加者を巻き込み、力を出させるスキルを持ったファシリテーターがいること

ミーティングを間違いなく成功に導く絶対確実な方法というものはありません。しかし、用意周到に計画されたミーティングは成功しやすいものです。基本的なスキルを、たとえ少しでも習得しようとする姿勢がある限り、多くの人はよいミーティングのファシリテーションの仕方と、実行可能なアジェンダを作成する方法を学ぶことができます。よいグループ・プロセスのスキルを持った人が多ければ、ファシリテーターの仕事もより楽になり、ミーティングもより満足のいくものとなります。

質問2
ファシリテーターの役割は何でしょうか。

一口に言えば、ファシリテーターの役割とは、グループがミーティングの課題を達成するための手助けをすることです。ファシリテーターは、グループに案内や指示を与えたり、課題を達成するためのツールを提供したりしながら、可能な時間の中でアジェンダを通してグループをガイドします。ファシリテーターはグループのために何かを決定することはありませんが、グループを前進させるために何かを提案することはあります。ファシリテーターは、ミーティングに出席している人たちに、彼ら自身が当事者であり、それが今の仕事であり、そして各人が役割を担っているということを気付かせるような方法で働きかけます。ただし、ファシリテーターの役割を明

確にすることが非常に大切な場合もあります。例えば、意思決定において、ファシリテーターの役割は参加者と同等なのか、それとも制限されているのかといったことは、はっきりさせておかなければなりません。

　ファシリテーターの責任は、グループ内の個人よりもむしろグループとその作業にあることを強く申し上げておきます。ファシリテーターは、その責任が増えるにしたがって、グループから新たな権利を与えられます。これらの権利は、グループの決定にもよりますが、多くの場合以下が含まれます。

- ■話し手に、議題に沿っているかどうか、簡潔かどうか、他の参加者の発言の繰り返しかどうかを尋ねるためにミーティングを中断する権利
- ■ミーティングの進行を容易にするため、ミーティングを中断する権利
- ■ミーティングの円滑な進行のために、小さな物事に関しては、いちいちグループに許可を得ずとも判断を下せる権利

質問3
ミーティングを難しくしたり、問題を引き起こしたりする参加者には、どう対処したらよいでしょうか。

　ファシリテーターとして中立性を維持したまま、難しい状況や問題を引き起こす参加者に対処するテクニックはいくつかあります。最も大切なポイントは、問題を起こす人物そのものではなく、その行為に焦点を当てることです。

　もしその行為がミーティングのルールに違反しているのであれば、その人物の注意を適切なミーティングのルールに向けるようにします。警告として「イエローカード」を与えることもできるでしょう。

　ある参加者を叱責する必要がある場合は、他の参加者がいないところで叱責するよう心がけてください。公の場での直接対決は避けましょう。その際、可能であれば小休憩をとるとよいでしょう。

　継続してミーティングのルールに違反するような参加者がいる場合は、その人をミーティングに呼ばないようにします。参加者には、その人をこれ以上ミーティングには呼ばない旨を伝えてもよいでしょう。もちろん、違反者がマネジャーである場合は簡単なことではありません。しかし、独立したファシリテーターとして、そういったマネジャーとは、あくまで彼らの行為に焦点を当てて、対決してもよいでしょう。

質問4
参加者同士で言い争いを始めてしまったらどうしたらよいでしょうか。

　まず言い争いをしている人たちの間に入って、議論する手順を示してあげることが大切です。それには以下のようなテクニックがあります。
- ■ミーティングのルールを適用する
- ■言い争いをしている参加者の一方に、もう一方の参加者の考えや言い分を言い換えてもらうよう依頼する
- ■他の参加者に、その争点について意見を共有するよう依頼する
- ■休憩をとり、言い争っている参加者に、それぞれの考えの違っているところを当事者だけで話し合ってもらう。またその話し合いを仲介してあげてもよい
- ■ほかからの中断なしで、一人ひとりに5分間、それぞれの考え方を述べてもらうよう依頼する

　どのテクニックを使うにせよ、個々の参加者に、自分のアイデアや意見がきちんと聞いてもらえ、尊重されていると感じさせることが大切です。

質問5
参加者が常習的に遅刻してくる場合はどうしたらよいでしょうか。

　効果的なミーティングは、時間通りに始まり、時間通りに終わります。ファシリテーターは、ミーティングをいつも時間通りに始める旨を参加者に理解させることが大切です。常習的な遅刻者に対するテクニックとしては以下のようなものがあります。
- ■罰則金の徴収。遅刻1分につき小銭（例えば10円、10セントなど）を徴収する。そのお金は参加者全員を飲み物などでもてなすことに使うようにする
- ■ミーティング終了後、遅刻者に遅刻した理由を説明させる
- ■次回のミーティングを遅刻者にファシリテートさせる

質問6
欧米式のミーティングで、ミーティングの妨げとなる行為とはどんなものでしょうか。

問題となる行為	対処の仕方（有効度の高い順）
注意を引こうと大声で話したり、ミーティングをコントロールしようとしたりする	● その人に記録係をやってもらうよう依頼する。 ● 休憩中やミーティング後にその人と話し合う。 ● ミーティングのルールを強制する。 ● 席の配置を変える。
ふざけたり騒いだりして、グループの作業を妨害する	● 貢献しようとするつもりがないならば、グループから外れてもらうよう頼む。 ● その人に記録係をやってもらうよう依頼する。 ● 休憩中やミーティング後にその人と話し合う。
隣同士や、小グループに分かれてひそひそ話をする	● ミーティングのルールを強制する。 ● 席の配置を変える。 ● 休憩中やミーティング後にその人たちと話し合う。 ● ミーティングに集中してもらうよう依頼する。 ● 参加者にミーティングの目的を思い出させる。 ● 会話の内容が、全員が話し合えるものなのか尋ねる。 ● 何かアジェンダに追加したい議題があるのか尋ねる。

皆様からの質問を受け付けます

読者の皆様から、ミーティングやファシリテーションに関する質問を受け付けております。上記の質問以外でお尋ねになりたい質問がありましたら、下記までご連絡ください。質問は英語、日本語どちらでも構いません。ただし、回答は英語になる場合がありますのでご了承ください。

お問い合わせ先：電子メールの場合　　info@globalinx-itc.com
　　　　　　　　ファックスの場合　　03-5297-8689

参考図書・文献

- Chang, R., Kehoe, K., *Meetings That Work!*, Jossey-Bass Pfeiffer
- Doyle, Michael, et al., *How to Make Meetings Work*, Penguin Putnam
- Schwarz, Roger, *The Skilled FACILITATOR*, Jossey-Bass Inc Pub
  シュワーツ, ロジャー（寺村真美・松浦良高訳）『ファシリテーター完全教本』日本経済新聞社
- Stone, D., et al., *Difficult Conversations*, Penguin Putnam
- Streibel, B. J., *The Manager's Guide to Effective Meetings*, McGraw-Hill
- 飯久保廣嗣『マネジメントのための質問力』かんき出版
- カップ, ロッシェル『ビジネスミーティングの英語表現』ジャパンタイムズ
- 小此木啓吾『人間の読み方・つかみ方』PHP研究所
- 鈴木有香『交渉とミディエーション』三修社
- 高橋誠『実戦 企画能力をグングン高めるステップ50』こう書房
- 高橋誠『問題解決手法の知識』日本経済新聞社
- 津村俊充、石田裕久『ファシリテーター・トレーニング』ナカニシヤ出版
- ディーン, P, レイノルズ, K.『英語プレゼンテーションの基本スキル』朝日出版社
- ディーン, P, レイノルズ, K.『英語ネゴシエーションの基本スキル』朝日出版社
- 中野民夫『ファシリテーション革命』岩波書店
- 名倉広明『ファシリテーションの教科書』日本能率協会マネジメントセンター
- 西村克己『会議を劇的に変える ワークショップ入門テキスト』中経出版
- 西山和夫『国際ビジネス・コミュニケイション』三修社
- 波多野敬雄監修『この一冊で世界の国がわかる！』三笠書房
- 早坂泰次郎『人間関係の心理学』講談社
- 堀公俊『ファシリテーション入門』日本経済新聞社
- 堀公俊『問題解決ファシリテーター』東洋経済新報社
- 松田毅一、E・ヨリッセン『フロイスの日本覚書』中央公論社
- 宮本常一『忘れられた日本人』岩波書店
- 茂木秀昭『ロジカル・シンキング入門』日本経済新聞社
- モリスン, T., コナウェイ, W. 他『世界比較文化事典』マクミランランゲージハウス
- 八幡紕芦史『[図解]会議の技術』PHP研究所

フィリップ・ディーン（Philip Deane）
1988年ケンブリッジ・カレッジ卒業（産業マネジメント専攻）。卒業後、欧州最大の家電メーカー、フィリップス社でエンジニア、チーム管理マネジャーを9年間務める。1991年より、㈱グローバリンクスにて国際ビジネスコミュニケーション・トレーナーおよびコンサルタントとして活躍。国際ビジネスコミュニケーション・トレーニングの企画・開発、運営、トレーニングや教材開発を手掛ける。共著書に『英語プレゼンテーションの基本スキル—グレートプレゼンターへの道—』『英語ネゴシエーションの基本スキル—グレートネゴシエーターへの道—』（ともに小社刊）がある。

岩城　雅（Tadashi Iwaki）
1978年慶應義塾大学文学部中退後、同年㈱サイトーインターナショナル（現㈱グローバリンクス）に入社。多国籍社員で構成される会社の経営全般に加え、国際化教育の企画・運営に長年従事し、現在代表取締役。ダイバーシティ・トレーニング・プログラムの開発・実施に携わる。日本語による異文化認識およびコミュニケーション力開発向上トレーニング講師。共著書に『GLOBAL impact』（IRWIN Professional Publishing）『必読海外派遣心得帖　成功のためのキーポイント』（海外職業訓練協会）があるほか、雑誌『グローバル人づくり』（海外職業訓練協会）にも寄稿。

英語ミーティングの基本スキル
―グレートファシリテーターへの道―

2006年5月25日　初版第1刷発行

著　　　者	●	フィリップ・ディーン（Philip Deane） 岩城　雅（Tadashi Iwaki）
装　　　丁	●	引地　渉
本文デザイン	●	松田祐加子（プールグラフィックス）
発　行　者	●	原　雅久
発　行　所	●	株式会社朝日出版社 〒101-0065　東京都千代田区西神田3-3-5 TEL 03-3263-3321　FAX 03-5226-9599 http://www.asahipress.com/ 郵便振替 00140-2-46008
印刷・製本	●	図書印刷株式会社

ISBN 4-255-00359-9　C0082　　　　　　　　　　　Printed in Japan

「動詞句」をマスターすれば英語力は10倍アップする！

今までの辞典にはなかった!!
ネイティブが日常使う動詞句の的確な訳語と例文が満載！

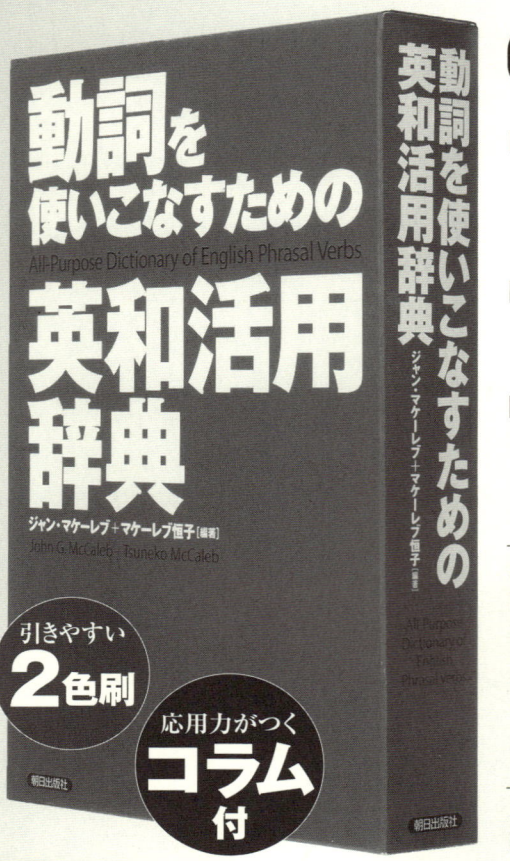

動詞を使いこなすための英和活用辞典
All-Purpose Dictionary of English Phrasal Verbs
ジャン・マケーレブ＋マケーレブ恒子[編著]
John G. McCaleb・Tsuneko McCaleb

引きやすい**2色刷**
応用力がつく**コラム付**
朝日出版社

こんな人にもオススメ！

▶ **インターネットやメールを楽しみたい人へ**
ネイティブが日常頻繁に使う「動詞句」をマスターすることが、より正しく楽しくコミュニケーションする秘訣です！

▶ **センター試験やTOEICを受験する人へ**
一見簡単な動詞の応用力・把握力が求められています！

▶ **海外ドラマやペーパーバック好きの人へ**
動詞句の意味が分かることが会話やシチュエーションを楽しむ分かれ目です！

知っているはずの動詞に副詞や前置詞がつくと、どんな意味になる？

We can't **sit on** this news.
このニュースを公表しないわけにはいかない。**sit on**「公表しないでおく」

That engine may **fly apart**.
そのエンジンは壊れてバラバラになるかも。**fly apart**「壊れて飛び散る」

I'm going to **tell** that guy **off**.
あの男を叱りつけてやろう。　　　　　　**tell off**「人を叱りつける」

A5判変形　並製カバー函入り　976ページ
定価3,990円(税込)

詳しいパンフレットをご希望の方は小社までお申し込みください。
朝日出版社　〒101-0065 東京都千代田区西神田3-3-5　TEL 03-3263-3321　FAX 03-5226-9599　http://www.asahipress.com